O MENSAGEIRO MILIONÁRIO

O MENSAGEIRO MILIONÁRIO

Faça a diferença e enriqueça ao compartilhar seus conhecimentos

Brendon Burchard
Fundador da Experts Academy

Tradução
Celso Roberto Paschoa

Novo Conceito

Tradução para o português publicada sob acordo com Lennart Sane
Agency AB
© 2011 The Burchard Group LLC
© 2012 Editora Novo Conceito
Todos os direitos reservados.
Publicada originalmente por Morgan James Publishing

2ª Impressão — 2015
Impressão e Acabamento Orgrafic 160415

Produção Editorial
Equipe Novo Conceito

Dados Internacionais de Catalogação na Publicação (CIP)
(Câmara Brasileira do Livro, SP, Brasil)

Burchard, Brendon
    O mensageiro milionário : faça a diferença e enriqueça ao compartilhar seus conhecimentos / Brendon Burchard ; tradução Celso Roberto Paschoa. -- Ribeirão Preto, SP : Novo Conceito Editora, 2012.

    Título original: The millionaire messenger : make a difference and a fortune sharing your advice.
    ISBN 978-85-63219-99-2

    1. Consultores - Marketing 2. Empreendedorismo 3. Liderança 4. Mudanças de vida - Acontecimentos 5. Sucesso - Aspectos psicológicos I. Título.

11-14447   CDD-150.1

Índice para catálogo sistemático:
1. Consultores motivacionais : Sucesso : Mudanças de vida : Psicologia aplicada 150.1

Novo Conceito
Rua Dr. Hugo Fortes, 1885
Parque Industrial Lagoinha
14095-260 – Ribeirão Preto – SP
www.grupoeditorialnovoconceito.com.br

  Save the Children

Parte da renda deste livro será doada para a **Fundação Abrinq – Save the Children**, que promove a defesa dos direitos e o exercício da cidadania de crianças e adolescentes.
Saiba mais: **www.fundabrinq.org.br**

Dedicado a meu pai, Mel Burchard, cuja mensagem dirigida a nós, quando crianças, ao longo de toda a sua vida, expressa tudo o que você precisa conhecer dele e explica tudo o que precisa saber sobre mim:

"Seja autêntico. Seja honesto. Faça o melhor.
Cuide bem de sua família. Trate as pessoas com respeito.
Siga seus sonhos."

Sumário

Introdução **9**

Capítulo 1: Uma explicação rápida sobre o compartilhamento
de minha mensagem **13**

Capítulo 2: Por trás da cortina do guru **21**

Capítulo 3: A convocação e o estilo de vida do expert **29**

Capítulo 4: Você: guru de recomendações................................. **55**

Capítulo 5: Nove etapas até a criação do império do expert **67**

Capítulo 6: O guia financeiro do mensageiro milionário **93**

Capítulo 7: A mentalidade do mensageiro **113**

Capítulo 8: Os requisitos do mensageiro.................................. **127**

Capítulo 9: O manifesto do mensageiro.................................... **161**

Capítulo 10: Confiando no que você fala **191**

Agradecimentos... **201**

Sobre o autor **205**

Introdução

Este livro se baseia em três argumentos centrais.

A história de sua vida, seu conhecimento, sua mensagem e o que você aprendeu com a experiência e quer compartilhar com o mundo têm maior importância e valor de mercado do que você, provavelmente, já sonhou um dia. Você está neste mundo para fazer a diferença e o melhor modo de fazer isso é usando seu conhecimento e sua experiência (sobre qualquer tema, em qualquer setor) para ajudar outras pessoas a obterem êxito. Você pode ser remunerado se compartilhar informações e recomendações práticas e úteis que ajudem outros a obterem êxito e, neste processo, é possível construir um negócio muito lucrativo e uma vida profundamente significativa.

Se qualquer um desses itens lhe parece impraticável, especialmente a parte em que você é remunerado por compartilhar o que pode ser sua mensagem para o mundo, então você, simplesmente, não tem tido consciência sobre uma atividade relativamente desconhecida, a qual denomino "indústria de experts".

Essa indústria é uma comunidade afetuosa de indivíduos que compartilha conselhos e conhecimentos com o mundo, e que é paga por isso. São as pessoas que você vê na televisão e que dão conselhos on-line sobre melhorar sua vida e desenvolver sua empresa. São pessoas comuns, simples, que transformaram seus êxitos, pesquisas ou histórias de vida em recomendações para os outros e que, dessa maneira, se tornaram experts em um determinado tema, por exemplo, como ser um pai melhor (ou uma mãe melhor), fundar uma organização, obter sucesso no trabalho, viver com mais entusiasmo ou qualquer outro tema. São serviçais da sabedoria e inspiram a todos nós com o que sabem.

Esses experts, para reforçar, são pessoas comuns que sintetizaram suas experiências de vida e criaram produtos e programas para venda ao público. Eles têm artigos, blogues, livros, programas de rádio, cursos em DVD, podcasts, vídeos, que envolvem um processo barato e fácil graças à internet.

Em muitos casos, alguns experts tornaram-se conhecidos ou famosos simplesmente por compartilharem suas recomendações e por terem um conteúdo aplicativo. E ganharam milhões de dólares fazendo isso. De fato, capitalizaram suas mensagens e receberam mais dinheiro do que você jamais poderia imaginar. São os mensageiros milionários, os experts empreendedores da era da informação.

Apesar de você, atualmente, não se considerar um expert ou guru, o fato é que qualquer indivíduo pode ser um. Não se preocupe: nós reestruturaremos as palavras expert e guru se você as associa negativamente, pois ser um expert ou guru significa meramente ajudar as pessoas a obterem sucesso, o que é algo muito bom. Tornar-se um expert é, simplesmente, uma questão de posicionar e "empacotar" quem você é e o que você sabe de modo que possa ajudar o maior número de pessoas dentro de seu público-alvo. Você pode se tornar um expert extremamente influente e muito bem remunerado sobre qualquer tema que quiser, e neste livro lhe mostrarei como fazer isso.

Não estou falando sobre passar a ser um especialista e se tornar um "trabalhador do conhecimento" para alguma empresa de criação monótona com alcance global. O trabalhador do conhecimento é um conceito falido há tempos e, na nova era criativa, impelida por conteúdo, autenticidade, confiança, ferramentas de busca e mídias sociais, a nova classe de elementos criativos e experts trabalhará para si própria e estabelecerá legítimos relacionamentos com pessoas, fundamentados em informações e recomendações valiosas. Felizmente, devido à democratização generalizada de conteúdo e distribuição que a internet passou a nos oferecer, cada um de nós pode criar e distribuir conteúdo prático e útil para as pessoas. Você está prestes a descobrir que, nessa nova economia, todos nós podemos ser formadores de opinião e podemos ganhar dinheiro com nosso conhecimento sem ter que trabalhar para determinada empresa ou pessoa. Se você tem uma mensagem e está conectado com a internet, pode ter uma carreira na indústria de experts, ou seja, orientar outras pessoas pode ser uma atividade tanto significativa como rentável.

Ainda mais importante, este livro não se propõe a transformá-lo num guru no sentido que a maioria das pessoas pensa. Não quer dar-lhe um passo a passo para que você se torne um palestrante "motivacional" ou "inspiracional", embora certamente você possa ser ambos. Normalmente, se você tem uma história de vida inspiradora e quer fazer a diferença no mundo, todos dizem: "Vá ser um orador motivacional". É lamentável que a única linguagem de nossa cultura apta a descrever uma pessoa que ajuda os demais habitualmente tem sido limitada à expressão "orador motivacional", quando até os que atuam sob essa égide o fazem mais como experts. O ato de se expressar oralmente é apenas uma das seis áreas em que um expert pode atuar; outras áreas incluem escrever livros, conduzir workshops, *coaching*, dar consultoria e fornecer produtos e programas de treinamento on-line. Hoje, os especialistas não precisam dominar todas essas áreas para ficarem ricos. Exibirei a você um plano milionário, que talvez o surpreenda pela simplicidade de sua implementação.

Com base em tudo isso, estou divagando sobre algo há um certo tempo. Na economia frágil da atualidade, em que tantas pessoas se perguntam qual será o próximo passo e buscam desesperadamente recomendações, estratégias eficientes e informações práticas e úteis, por que ninguém escreveu um livro como o que você tem agora em suas mãos? Acredito que este momento histórico constitui a maior oportunidade empreendedora da história e representa uma pequena parte de um desenvolvimento natural e lógico de nossa economia. As pessoas têm uma grande necessidade neste momento, elas precisam de orientação, tutoria e *coaching*, e você pode dar isso a elas e fazer uma diferença substantiva (e, ainda, enriquecer).

Sei que minhas palavras podem parecer um pouco surreais. Por isso, meu desejo neste livro é ensiná-lo sobre essa indústria e lhe apresentar esses três argumentos de modo concreto, racional e implementável, de modo que você empreenda ação e comece a inspirar e orientar outras pessoas sobre como obter sucesso na vida pessoal, ou no trabalho, ou em qualquer tópico selecionado.

Você pode atingir milhões de pessoas com sua mensagem e ainda ganhar rios de dinheiro ao fazê-lo. Tenho provado isso, a exemplo de meus alunos. Embora possa dar a impressão de uma propaganda exagerada, continue lendo e talvez você mude para uma nova profissão (e um chamado de nível mais alto).

Pessoalmente falando, eu também desconhecia esse setor e sempre fui cético sobre a sugestão de qualquer pessoa de que fosse possível combinar mensagens significativas com dinheiro e marketing. Não gostava, e ainda não gosto, da palavra "guru" e jamais almejei me tornar um deles. Por ter nascido numa cidade pequena, mantinha uma suspeita geral sobre "pessoas famosas". Cresci desconfiando da maior parte dos experts e, de fato, nunca pensei em enriquecer. Portanto, posso entender se esse setor e minhas afirmações lhe parecem, a princípio, peculiares.

Eu não sabia que podia transmitir minha mensagem para o mundo, ajudar tantas pessoas e, ao mesmo tempo, ser remunerado por isso. Francamente, não teria acreditado se alguém tivesse me contado.

Mas, então, sofri um acidente e quase morri. Após essa experiência, visualizei um nicho aberto para mim. E, agora, eu o lidero. Este livro é meu esforço para abrir as cortinas e convidá-lo a tomar parte neste cenário.

CAPÍTULO 1

Uma explicação rápida sobre o compartilhamento de minha mensagem

Quando acordei, Kevin gritava:

— Saia do carro, Brendon! Saia do carro!

Sentado no banco dos passageiros, observei-o rapidamente com o canto dos olhos. Kevin estava esmagado pela direção, gritava comigo e tentava desvencilhar-se da janela lateral amassada do lado do motorista. Todo o seu rosto estava coberto de sangue.

Tínhamos feito a curva a pouco mais de 130 quilômetros por hora. Nos Estados Unidos, essa curva seria indicada por uma placa amarela brilhante com uma seta no formato de "U", um sinal de alerta mostrando a aproximação de uma curva fechada, de modo que seria aconselhável que as pessoas reduzissem a velocidade.

No entanto, estávamos na República Dominicana, numa estrada recém-pavimentada. Não havia sinalização. E aquela curva estava prestes a se tornar um divisor de águas em nossas vidas.

E acabou sendo uma benção. Durante meses estive deprimido e muito mal emocionalmente após o rompimento com a primeira moça que efetivamente amara. Tinha apenas 19 anos, mas me sentia à deriva, como se minha vida tivesse acabado. Fomos namorados na época do colegial, e todos imaginavam que poderíamos nos casar um dia. Entramos juntos na faculdade, e ela descobriu a cerveja e os rapazes. Não fiquei suficientemente atento, e ela me traiu; a coisa ficou feia.

Estava tão triste que, quando surgiu a oportunidade de fazermos um trabalho de verão na República Dominicana, parti para lá. Deixar a cidade para escapar de meus problemas e da depressão não era o bastante: eu tinha que sair do país.

Assim, lá estava eu na República Dominicana com Kevin, amigo de minha cidade natal, ajudando um empreendedor que conhecíamos e que vendia equipamentos para caminhões. Retornávamos da casa de um cliente, por volta da meia-noite. Era uma noite caribenha escura e enevoada. Todas as janelas do carro estavam abertas, e no rádio tocava a música *Life is a Highway*, de John Cochrane. Enquanto percorríamos velozmente a estrada, cercada pela mata, e com o ar úmido passante que atravessava o carro, minha depressão teve uma trégua. O peso de minha solidão e tristeza diminuiu na velocidade do som. Fechei os olhos, tentando esquecer minha alma desfalecida, e berrei aquela canção a plenos pulmões.

Então, Kevin gritou:

— Meu Deus! Brendon, cuidado!

Abri os olhos e vi os fachos do farol desaparecerem à nossa frente, para fora da estrada, no meio da escuridão.

Kevin agarrou a direção, virando-a para a direita, numa tentativa desesperada de fazer a curva. Mas era tarde demais. O carro saiu de traseira, perdeu tração e rodopiou para fora da pista. Abracei meu próprio corpo e pensei: "Deus, não estou preparado!". Eu ainda não tinha vivido plenamente minha vida. Era esquisito como essa sensação fora real e duradoura. Uma sensação de câmera lenta fora plenamente consolidada pelo rodopio do veículo. Uma pergunta urgente assomou em minha mente à medida que derrapávamos até a porta da morte: "Será que morri?".

Durante a derrapagem para fora da pista, nosso carro bateu numa pequena murada de retenção construída para um projeto de irrigação. Fomos arremessados ao ar de um lado para outro e senti que o cinto de segurança forçosamente me travou no lugar. Depois, senti uma estranha leveza, como se estivéssemos sendo lançados... Sendo lançados.

Meus olhos estavam fechados, mas enxergava claramente. Não era como pensei que seria. Imaginava que haveria um ponto de vista onisciente de minha vida, assim como nos filmes, em que uma série de lembranças passa em câmera lenta. Mas, naquele instante, eu não me vi. Definitivamente, não havia o pequeno Brendon correndo pelos cantos e crescendo.

Porém eu os vi: meus amigos e familiares de pé, na minha frente e do meu lado. Eles cantavam ao redor de um bolo na mesa de nossa sala de jantar. Era a festa de meu 12º aniversário. Minha mãe chorava de felicidade e cantava alegremente aquela música tola que entoava em nossos aniversários.

Depois, apareceu uma cena diferente. Era minha irmã. Ela balançava ao meu lado, numa gangorra de jardim. Nossos olhos se encontraram e ela abriu seu amplo e bonito sorriso.

Em seguida, mais imagens. A corrida da vida diante de mim, experimentada por meus próprios olhos. Todas as cenas eram momentos em que eu estava cercado por meus entes queridos. Minha percepção não era como se eu tivesse participado daqueles momentos, embora eles parecessem tão verdadeiros e eu estivesse consciente de que fora lançado pelo ar num lento movimento. Pensei naqueles que amava e nos que sentiriam minha falta. Uma emoção intensa, pesada, de remorso perpassou pela minha mente: "Será que amei?".

O carro atingiu o solo com uma batida ensurdecedora e desmaiei. Quando acordei, ouvi Kevin gritando para que eu saísse do carro.

Olhei para ele. Ele estava esmagado pela direção, gritava e tentava sair do carro pela janela amassada.

Kevin virou-se para mim, vi uma ferida aberta na lateral direita de sua cabeça e seu rosto inteiro estava coberto de sangue.

— Saia do carro, Brendon! — disse ele, em pânico, enquanto conseguia sair pela janela.

Eu não sabia se o carro estava pegando fogo ou o que estava acontecendo. Porém, o tom de voz de meu amigo já dizia tudo. Olhei à minha direita para sair do carro, mas a estrutura da lateral do lado do passageiro fora amassada. O teto estava destroçado. Minha única saída era uma abertura estreita na minha frente, ou seja, o que restara do para-brisa.

Consegui passar por aquele espaço, encolhendo os braços, as pernas e a barriga, e, não sei como, consegui ficar em pé sobre o capô branco amassado do carro. Vi meu sangue escorrendo sobre os pés e as sandálias. Fiquei tonto, distante. Lentamente, a vida foi se desvanecendo e senti medo quando percebi, pela primeira vez, que ela poderia terminar. Então, uma energia assustadora e débil passou rapidamente por meu corpo e me perguntei sobre o significado de tudo aquilo. Lutei com os pensamentos e comecei a chorar. "Será que alguém já se importou comigo?"

Uma névoa negra obscureceu minha visão, senti que ia morrer. "É o fim", pensei.

Então, um brilho reluzente no capô do carro interrompeu meu transe. Vi uma faísca brilhante, um reflexo de luz sobre meu sangue, que estava escorrendo na lateral do carro em pedaços. Olhei para cima e vi uma lua cheia magnífica na escuridão do céu. Era uma lua mágica, algo diferente de tudo o que vira antes – tão próxima, tão grande e brilhante, tão linda. Senti que estava me erguendo dos destroços de minha vida além de estar profundamente conectado com o firmamento e as ondas azuladas que riscavam pelo céu noturno. Não havia dor, nenhum sentimento, uma inexistência cheia de silêncio – um momento que nunca esquecerei. E, depois, lentamente, uma sensação de estar centrado. Eu não estava tendo uma experiência fora de meu corpo; na realidade, jamais me senti tão conectado com o corpo como naquele instante.

Senti uma estabilidade interior e tive uma sensação de gratidão que me purificou completamente; uma apreciação pela vida, que, ainda hoje, não consigo descrever. Foi como se, naquele exato momento, eu olhasse para o céu e Deus tivesse me alcançado, me confortado e me dado um bilhete premiado, uma segunda oportunidade na vida. O momento parecia dizer: "Aqui está, garoto, você ainda está vivo, pode amar novamente, pode ser alguém na vida. Agora, vá em frente e se empenhe vivamente nessa jornada, pois sabe que as horas já estão passando".

Lembro-me de olhar para o céu naquela noite, aceitando aquele bilhete e pensando: "Obrigado, obrigado. Aproveitarei essa chance!".

Um sentimento de gratidão indescritível adentrou em minha vida e nunca mais foi embora. Senti as lágrimas escorrendo pelo rosto, lágrimas de felicidade. E, pela primeira vez em meses, minha alma se encheu de júbilo.

...

Essa é uma história que aprendi a compartilhar com mais detalhes, presença e coração cada vez que a conto para plateias ao redor do mundo.

No nosso retorno da República Dominicana, tanto Kevin como eu sobrevivemos com nossa cota de cortes, hematomas e ossos quebrados, porém – graças a Deus, vivos e bem – nenhum de nós pensava muito sobre o acidente.

Essa atitude pode parecer estranha, contudo aprendi que todos nós consideramos nossas experiências de vida, mas, raramente, procuramos encontrar e revelar seus significados.

De fato, quando retornei aos Estados Unidos e para a faculdade, em Montana, apenas mencionei o acidente para amigos íntimos. Prossegui na vida fazendo o que se esperava de mim: formar-me na faculdade, adquirir um pouco de experiência no currículo, posicionar-me para uma carreira e obter um emprego com boa remuneração numa empresa estável.

Entretanto, no meio de todos esses "espera-se que", havia algo em mim que gostaria de revelar o que tinha ocorrido. Uma parte de meu ser ainda estava conectada àquele momento, e eu queria compartilhar o "bilhete premiado da vida" com os demais. Queria dizer às pessoas que, no final de suas vidas, elas deveriam se fazer três perguntas, pois estas me transformaram para sempre e me posicionaram numa trajetória de paixão e propósito.

No fim de sua vida, você desejará saber se realmente viveu plenamente e não só as esperanças e os sonhos de seus pais, professores, companheiros ou cônjuges. Você se medirá para ver se é suficientemente vibrante, alegre, presente e animado. Desejará saber se correu riscos, divertiu-se, sonhou grande e lutou suficientemente para atingir seu potencial. Desejará tanto saber isso que sua alma doerá: "Será que vivi?".

Você certamente avaliará se preocupou-se suficientemente ou não, se deu àqueles que o cercam a atenção e a apreciação necessárias. Não saberá quem sentirá sua falta e de quem você sentirá falta. Ainda assistirá a um filme épico — pelo menos comigo foi assim — das ocasiões em sua vida quando estava rodeado de amor e amizade. Questionará o grau de conexão que tinha com seus sentimentos, e seu coração questionará: "Será que amei?".

Finalmente, em seus últimos momentos, antes de a luz abandoná-lo, uma agitação profunda em seu corpo e em sua mente perguntarão se havia um propósito na sua vida. Você se perguntará se teve ou não uma boa vida. Desejará saber, sentir e acreditar que fez a diferença antes de deixar este mundo. Sua alma perguntará diretamente e em voz alta: "Será que alguém já se importou comigo?".

Se qualquer uma dessas hipóteses for verdadeira, se essas forem as três perguntas que sempre faremos ao final de nossas vidas, então quero revelá-las ao maior número possível de pessoas: "Por que não viver sua vida para que esteja feliz com as respostas a essas perguntas quando ela chegar ao fim?".

Por que não viver de modo tão intenso e presente em cada instante, animado e motivado pelo dom da vida? Por que não viver o amor com tal intensidade e frequência, para que, ao final de sua vida, seu filme seja um épico amoroso e emocionante? Por que não se importar com os outros e procurar fazer a diferença na vida das pessoas como parte de sua programação e rotina normais, de forma tão natural que, ao final, lhe mostre que você foi importante?

Quando revelei essas três perguntas a alguns amigos, para minha aflição muitos pareceram interessados, mas não transformados. No entanto, alguns poucos consideraram que elas eram profundas e me estimularam a falar mais sobre minha história e meu acidente.

A verdade é que eu estava com medo de fazê-lo. No meu ser mais profundo, eu queria despachar tudo de minha mente. Queria focar nas pessoas, no que pensava que era importante. Sonhei em mudar a vida das pessoas com essa mensagem, mas, ao despertar a cada manhã, não tinha ideia de como transformar esse sonho em realidade.

E havia toda essa questão de me preparar para uma "carreira genuína" no "mundo real". E mais: quem gostaria de ouvir o relato de um jovem rebelde sobre o significado da vida? Quem ouviria, mesmo que eu soubesse transmitir, minha mensagem ao mundo? Certamente, eu devo ser louco.

Por sorte, topei, ocasionalmente, com um mentor, alguém que parecia entusiasmado com a vida. Numa época muito precoce e afortunada de minha vida, tive uma visão repentina da "indústria de experts". E, se não tivesse tido, seguramente minha mensagem teria morrido em meus sonhos.

...

CAPÍTULO 2

Por trás da cortina do guru

Agora, você já conhece um pouco de minha história e de meu sonho.

Eu apenas queria ajudar as pessoas com o que sabia sobre a vida, por mais que esse conhecimento fosse limitado por eu ser um rapaz tão jovem. Havia uma agitação, enraizada em meu interior, para compartilhar uma mensagem com as pessoas. Essa é a forma como, no meu caso, tudo começou: uma experiência que desejava expressar e revelar a outras pessoas, mas sem saber como proceder.

Possivelmente, você deve ter alguma ideia do que seja isso. Talvez tenha aprendido algo sobre a vida ou sobre os negócios que gostaria de compartilhar. Você percebe que ajudar e ensinar outras pessoas é a trajetória para uma vida significativa. Uma emoção percorre sua alma e pede para compartilhar sua voz, seu conhecimento e as lições de sua vida, que estão enraizadas em seu interior. Mas, como é possível promover um efetivo impacto quando se tem de trabalhar tão arduamente para obter uma renda regular? Como ter sua mensagem transmitida ao mundo e influenciar outras pessoas de modo profundo e significativo?

Ficava acordado em meu diminuto quarto-dormitório, fazendo essas perguntas a mim mesmo durante meses quando voltei da República Dominicana. Então, numa noite, um mensageiro apareceu para mim e me despertou algo que transformou minha vida. Esse mensageiro, por mais estranho que pareça, foi um homem na televisão. Ele não era um pregador, nem aqueles evangelizadores típicos da TV, embora soasse, às vezes, como entusiasta e líder. Possuía um caráter imenso e discursava sobre a vida numa linguagem que eu conseguia entender. Seu nome era Tony Robbins e sua mensagem era: você tem um poder pessoal ilimitado para ter a vida que deseja e fazer a diferença, e posso ajudá-lo a explorar essa possibilidade.

Sei que tudo isso pode parecer tolice. Desconfio tanto de celebridades como qualquer outro indivíduo. Mas esse sujeito me conquistou. Não era apenas o que ele estava dizendo, mas o que exibia: estava ajudando pessoas com o que sabia da vida, e eu, de alguma forma, queria fazer o mesmo (embora, certamente, não na televisão). Naquela noite, comprei seu programa de áudio, chamado "Poder pessoal II", e, como queria ajuda rápida, paguei pelo envio expresso. Foi a segunda compra que fiz com um cartão de crédito. Escutei o programa várias vezes, frequentemente quando dirigia da faculdade para casa num percurso de três horas pelas montanhas Rochosas. Os conceitos do programa eram impressionantes para um jovem: você controla seu destino, dê um passo à frente, tome uma nova decisão para si mesmo, deixe seus valores orientarem sua vida, viva com paixão. Posso afirmar, sem hesitação, que minha vida mudou drasticamente.

Nos anos seguintes, ouvi e li mensagens similares de gurus das áreas de autoajuda e de negócios: de Wayne Dyer a Deepak Chopra, passando por Stephen Covey e David Bach; e de John Gray a John Maxwell. A maioria desses experts em questões da vida e dos negócios tinha livros, fitas, CDs, DVDs, palestras e programas de *coaching*[1] que vendiam ao público. Comprei muitos deles e, consistentemente, fiz o que podia para melhorar minha vida e me sair bem na carreira e relacionamentos. Eu estava vivendo bem, orientado por minhas três perguntas e pela sabedoria daqueles que estavam revelando suas mensagens para as massas.

Suponho que essa seja uma história corriqueira, pois os experts têm, literalmente, ajudado dezenas de milhões de pessoas mundo afora. Mas agora apresento o ponto em que sou diferente e no qual há uma interseção entre a minha e a sua história.

---

[1] *Coaching* é um processo de aprendizagem com vistas a atingir metas, solucionar problemas e desenvolver novas habilidades (IBC – Instituto Brasileiro de Coaching) (N. E.).

A diferença, que me trouxe a este dia e a escrever este livro, é esta: quando ouvia as vozes desses líderes, sempre pensava: "Por que algum dia eu não poderia ser essa voz de inspiração e orientação para as pessoas? Como esses homens e mulheres, que transmitem suas mensagens, ajudam pessoas e criam empresas genuínas, estão fazendo isso?".

Eram essas questões que pululavam em minha mente quando deixei a faculdade e passei a fazer parte do mundo real como um tipo diferente de "especialista": um consultor organizacional. Por aproximadamente sete anos trabalhei para uma empresa de consultoria global; gostei da função e progredi com facilidade, mas não achei que esse trabalho fosse ser o mais importante de minha vida.

Com os clientes, geralmente contava a história do acidente com o carro, até que comecei a notar que as pessoas estavam realmente se conectando comigo e com a mensagem, e essa percepção e ligação aumentavam quanto mais velho eu ficava. Elas diziam: "Cara, você precisa contar essa história às pessoas! Transmita sua mensagem ao mundo". Eu lhes perguntava como e elas diziam: "Bem, para transmitir sua mensagem você pode escrever um livro, dar uma palestra, ministrar um workshop, montar um site, ser um *coach* pessoal ou algo parecido".

Todos diziam a mesma coisa, para eu tornar-me um escritor, orador, *coach*, palestrante, consultor, guru de recomendações on-line, mas ninguém sabia como. Você certamente não cursa uma faculdade para isso, certo? Quando procurei na internet por recomendações para transmitir minha mensagem ao mundo, apenas encontrei uma miscelânea de informações sobre como escrever um livro, entrar na televisão ou ganhar dinheiro como palestrante motivacional. Ninguém falava sobre como ter uma carreira genuína, sustentável, ajudando as pessoas com informações práticas, úteis e valiosas.

Finalmente, a premência interna que eu tinha de contar a história de meu acidente era tão profunda e urgente que deixei meu confortável emprego corporativo. Decidi entrar com a cara e a coragem, de maneira incondicional e, talvez, tola, no que à época denominava de "a indústria de gurus". Estava comprometido a compartilhar minha mensagem por conta própria, com ou sem qualquer treinamento ou currículo para fazê-lo.

Durante um ano, segui as pegadas daqueles que tinham entrado neste campo antes de mim e tinham arriscado, seguido seus sonhos e revelado importantes mensagens para o mundo. Obtive os mesmos resultados que a maior parte deles: "quebrei" rapidamente.

A triste verdade sobre esse mundo é que ele não está preparado para ajudar as pessoas a compartilharem suas vozes e mensagens. Somos uma sociedade que não valoriza o compartilhamento de experiências e lições de vida, de modo que não há nenhuma "trajetória de carreira" para imitar. Ajudar as pessoas com o que sabemos é discutido, infelizmente, em nossa cultura, como uma atividade que é mais bem executada nas conversas dos jogos de golfe ou enquanto estamos na praia, desfrutando de nossa aposentadoria.

Sem qualquer treinamento ou pista de como compartilhar e lucrar com meus conselhos e minhas informações práticas e úteis para ter uma vida significativa, me frustrei e tive problemas financeiros. Personifiquei o clichê do escritor pobre e batalhador, e me afundei ainda mais em dívidas à medida que adquiria cada livro, audiobooks e ingresso de palestra que conseguia sobre os temas: como se tornar um escritor, orador, *coach*, palestrante ou divulgador de informações on-line (ou seja, alguém que vende suas recomendações, treinamentos ou informações pela internet).

Nada dava certo e, ao final daquele ano, meu livro foi recusado por uma dezena de editoras, e ele tinha a mensagem de minha vida contada numa parábola: um romance sobre segundas oportunidades intitulado *A vida é um bilhete premiado*.

Minha história é a história desafortunada de milhões de pessoas. Queremos transmitir nossa mensagem ao mundo, mas não temos ideia de "como" fazer isso. Mas se há uma coisa que você deve saber sobre mim é que, quando tenho uma visão voltada a algo, me dedico a aprender o modo de fazer isso acontecer. Sou um estudante e pesquisador determinado e incansável, e jamais deixei meus sonhos morrerem na praia.

Assim, mergulhei ainda mais nesse estranho mundo de experts. Foi uma busca solitária, frustrante e dispendiosa. Comecei combinando tudo que aprendera com todas as fontes discrepantes que podia. Extraía informações da palestra de um escritor, intercambiava-as com algo que aprendera numa palestra voltada a oradores públicos, acrescentava algo que tinha lido sobre marketing na internet, incorporava algo que aprendera numa sessão de associação de *coaching* com a vida e, depois, misturava tudo com o que via os gurus renomados fazerem, on-line e off-line, em várias indústrias e temas. Se ninguém ainda tinha conectado os pontos e pensado nisso como uma carreira genuína numa indústria real, eu seria o primeiro.

No ano seguinte, exatamente 24 meses após decidir entrar na "indústria de experts", comecei a ver resultados impressionantes. Vou compartilhar meus resultados com você e, ao fazer isso, não pretendo impressioná-lo, mas quero lhe mostrar como as coisas podem mudar rapidamente quando você decifra o código que explica como posicionar, embalar e promover sua mensagem de forma estratégica e inteligente no mercado.

Nesses dois arrebatadores e auspiciosos anos, atingi milhões de pessoas com minha mensagem e ganhei mais de US$ 4,6 milhões inspirando-as e orientando-as sobre como melhorar suas vidas e compartilhar suas próprias mensagens.

Nesse período que totalizou três anos, me tornei escritor best-seller, orador influente com cachê de US$ 25 mil por palestra, palestrante que tem seus eventos com ingressos esgotados (alguns a US$ 10 mil o ingresso), *coach* pessoal, consultor autônomo com uma lista de espera de vários anos e divulgador de informações on-line com dividendos médios de US$ 2 milhões para cada promoção de maior porte que inseri na internet. Obtive tudo isso trabalhando em casa e sem um único funcionário de período integral; apenas contratei uma pequena equipe de colaboradores em alguns projetos especiais.

Nesse mesmo período, dividi o palco com o Dalai Lama, Sir Richard Branson, Stephen Covey, Deepak Chopra, John Gray, David Back, Jack Canfield, Debbie Ford, Brian Tracy, Keith Ferrazzi, T. Harv Eker, Paula Abdul, e a lista cresce cada vez mais. Escrevi artigos, produzi vídeos, fiz programas de rádio, DVDs para estudo caseiro e programas de treinamento on-line que têm ajudado dezenas de milhares de pessoas a transformarem totalmente suas vidas e seus negócios. Organizações globais sem fins lucrativos e empresas listadas entre as 500 da *Fortune* começaram a patrocinar minha mensagem e agora não consigo, mesmo se quisesse, controlá-la.

Sei que toda essa transformação parece inacreditável. Para muitos, ela soa como algo impossível. Mas você logo descobrirá que não apenas é possível, mas que é possível sem muitos recursos ou sem ter funcionários, e que se trata de um sistema replicável. Nos próximos capítulos, compartilharei com você histórias de sucesso de outras pessoas que atingiram resultados impressionantes e ajudaram milhares de pessoas, e mostrarei como ganhar milhões de dólares de um modo relativamente rápido.

Obtive tanto sucesso nesse nicho dos experts que as pessoas começaram a me perguntar: "Brendon, como você conseguiu fazer tudo isso tão rapidamente? Como é que você publicou um livro, foi contratado como orador, ministra seus próprios workshops, se tornou um *coach* pessoal ou profissional e coloca seus programas na internet?".

Eram tantos pedidos e tantas perguntas que decidi criar um programa de treinamento para pessoas que começavam na carreira como eu tinha começado. Vinte e sete pessoas se inscreveram para o primeiro treinamento. Hoje, milhares de pessoas de todas as partes do mundo viajam até a Experts Academy, o único programa de treinamento abrangente para escritores, oradores, *coaches*, consultores, palestrantes e divulgadores de informações on-line. Para minha surpresa e meu profundo apreço, o mercado e a comunidade de experts celebraram a chegada de nossa escola. Pela primeira vez na vida alguém tinha conectado os pontos e abordado o nicho dos gurus como uma carreira legítima numa indústria real, verdadeira e baseada em serviços.

Minha história fechou o ciclo em 2009. Daquelas noites sem sono na faculdade, quando desejava compartilhar minha história e mensagem com as pessoas, até hoje, que sou reconhecido como um líder na comunidade dos experts, já percorri uma longa trajetória.

Em 2009, tive a honra de participar do programa de Tony Robbins e de inspirar seu público de mais de 2 mil pessoas reunido em Meadowlands. Também recebi Tony na Experts Academy. Aluno e professor se encontraram e, juntos, ajudaram milhares de pessoas.

A partir deste livro, Tony e muitos dos principais experts do mundo em termos de autoajuda, relacionamentos e negócios tornaram-se amigos queridos e leais. Muitos deles também passaram a ser clientes, e outros proferiram palestras na Experts Academy para revelarem, pela primeira vez em suas carreiras, exatamente como encontraram e compartilharam suas mensagens, além de como fundaram suas empresas.

Tudo o que desejava fazer era compartilhar minha mensagem. Agora sou conhecido como "um expert que ajuda as pessoas a se tornarem experts" e, para minha surpresa, com muita humildade, me tornei o líder e porta-voz da "indústria de experts".

Compartilhei toda essa história paralela, pois queria que soubesse que já estive onde você está atualmente: batalhando para transmitir minha mensagem ao mundo. Agora, estou aqui para ajudá-lo. Treinei milhares de pessoas para fazerem a diferença e enriquerem com seus conselhos, experiências e conhecimento. Você reconheceria muitos dos nomes de meus clientes e ex-alunos, eles comandam programas de entrevistas, são personalidades do rádio e celebridades nacionais e internacionais, escritores best-sellers do *The New York Times*, oradores famosos, profissionais de marketing de ponta e consultores extremamente bem remunerados. Você tem visto muitos de meus alunos em programas, como Dr. Phil, Oprah, Rachel Ray, CNN, Fox News e no YouTube, bem como no *The Wall Street Journal, The New York Times, USA Today*, na revista *Success* e, notadamente, nas principais mídias do mundo.

O que me deixa mais orgulhoso é que entre todos os experts que treinei, de alguns você talvez jamais tenha ouvido falar: pessoas que, no momento, estão revelando suas recomendações e ajudando outros a serem bem-sucedidos em centenas de áreas. Experts saídos de meus eventos estão ajudando crianças a se saírem bem na escola, mulheres a encontrarem trabalho, nascidos nas décadas de 1960 e 1970 a se preparem para a próxima etapa de suas vidas, novos casais a comprarem suas casas, entes queridos a lidarem com a morte e o luto, médicos a tratarem mais eficientemente de seus pacientes, pessoas obesas a redescobrirem estilos de vida mais saudáveis, donos de pequenas empresas a praticarem um marketing mais avançado, profissionais a passarem nos exames de certificação, oradores a dominarem melhor seu palco, enólogos a escolherem melhores vinhos, profissonais a começarem novas carreiras etc.

O que é possível para você e sua mensagem — se ainda não a encontrou não se preocupe, pois irei ajudá-lo — está provavelmente além de sua imaginação neste momento. Isso porque um número muito reduzido de pessoas teve contato com a indústria de experts, e a maior parte delas não entende o mundo do expert empreendedor. Trata-se de uma nova carreira para muitos e um modo muito diferente de pensar o trabalho.

No capítulo a seguir, começarei a abrir as cortinas e a abordar seu estilo de vida. Agora é a sua hora. Tudo o que você deve fazer é decidir se essas são a convocação e oportunidade corretas para você. Vamos começar.

•••

CAPÍTULO 3

A convocação e o estilo de vida do expert

Nos capítulos a seguir, revelarei como os experts começam suas atividades e como, exatamente, transmitem suas mensagens para o mundo (e são remunerados por isso). Abordarei, ainda, a primeira objeção que reconheço que as pessoas têm com relação ao assunto: "Poxa, Brendon, não sou um especialista e quem me pagaria algo pelo que conheço?".

Não se preocupe: chegaremos a tratar de seus medos infantis de inadequação em breve. Brincadeira! Abordaremos essa questão, pois sei que a maior parte das pessoas subestima intensamente o que sabe ou jamais pensa sobre o que sabe e sobre como esse atributo poderia ser valioso para os demais.

No entanto, antes de tratar de sua expertise específica, quero esboçar um retrato mais amplo da indústria de experts de modo que você possa determinar se, inclusive, deseja ser parte dela. Confie em mim: você pode se tornar um expert extremamente bem pago em qualquer campo e em qualquer tema e lhe provarei isso. Discutiremos, agora, se esta é realmente uma convocação e uma carreira nas quais você está interessado.

Sim, creio que se tornar um mensageiro milionário é uma convocação e uma carreira legítima. Trata-se de uma convocação porque acredito piamente que faz parte do propósito de nossa vida aprender e experimentar o mundo e, depois, olhar para trás e ajudar aqueles que também estão tentando avançar. Se você batalhou contra algo e sobreviveu, deve ajudar os que agora estão lutando. Se atingiu o impossível, habilite pessoas de modo que elas atinjam o mesmo. Se passou anos a fio tentando descobrir algo, por que não encurta a curva de aprendizado de outra pessoa? Se decodificou o código para o sucesso em qualquer área, por que não revela o segredo a todos?

Obviamente, há uma certa inclinação para "ajudar o próximo" nisso tudo, e, por essa característica, fui geralmente criticado. Algumas pessoas em minha comunidade me chamaram de leniente e "moleirão", pois, de modo geral, foco mais na missão que no dinheiro. No entanto, acredito que, por vir de uma comunidade dedicada a servir, essa não é apenas uma forte prática espiritual, mas também uma boa prática de negócio. Se você se preocupa em ajudar os outros, eles acreditarão na sua pessoa e, assim, comprarão de você.

Acredito que todo mundo tenha uma mensagem e uma história de vida, ou experiência, que podem ajudar outras pessoas. Você também tem uma mensagem, mesmo que ela ainda seja indefinida. Você tem algo em seu interior para transmitir ao mundo: sua voz e contribuição únicas. Você tem sido convocado para transmiti-las e este livro o ajudará com isso.

Em termos de uma carreira, há bem poucos empregos mais estáveis e lucrativos do que o de ser um expert. As pessoas sempre necessitarão de ajuda e conselhos em sua vida pessoal e profissional. Cada geração precisa de conselhos dos pais, indicações imobiliárias, de marketing, sobre relacionamentos, negócios, assessoria sentimental, financeira, de carreira, tecnológica, espiritual... Não há limite para o número de pessoas que procura e precisa de seus conhecimentos e informações.

Este ponto tem sido provado pelas carreiras duradouras e extremamente impactantes dos líderes e lendas de nossa indústria. Quando um expert encontra sua mensagem verdadeira e a transmite com carinho, compaixão e consistência, o mundo o observa. Considere as histórias recorrentes desses especialistas:

> Tony Robbins vem inspirando indivíduos a encontrar seus potenciais pessoais há mais de 30 anos. Atingiu milhões de pessoas ao redor do mundo e construiu um império de US$ 50 milhões sob sua marca.

Stephen Covey adotou sete hábitos simples para que um indivíduo seja eficiente e criou uma empresa de treinamento bilionária, enquanto manteve o livro *Os sete hábitos das pessoas altamente eficazes* na lista de best-sellers de negócios por mais de 21 anos.

Zig Ziglar tem dado palestras bem-sucedidas há cerca de 40 anos e recusa negócios todo o tempo.

Rick Warren transformou seus conselhos espirituais no livro de não ficção campeão de vendas de todos os tempos, *Uma vida com propósito*, com mais de 30 milhões de exemplares vendidos. Ele criou uma congregação de 20 mil membros na Califórnia e, em 2008, abrigou o Fórum Civil da Presidência, que apresentou os candidatos presidenciais Barack Obama e John McCain.

David Bach começou dando assessoria financeira ao público após deixar seu emprego corporativo no setor financeiro e transformou essa atividade na marca de assessoria financeira mais valiosa do mundo. Publicou onze best-sellers, incluindo dois campeões de venda consecutivos: *Fique Rico, mesmo começando tarde* e *O milionário automático*, segundo a listagem do *The New York Times*. Ao todo, seus livros têm sido publicados em mais de 15 idiomas, com uma impressão de mais de sete milhões de exemplares por todo o mundo. David atualmente está numa missão para tirar a população americana da dívida. Assim, ele se associou à Equifax, uma das mais influentes agências de divulgação de créditos soberanos, para mostrar aos consumidores como se livrar rapidamente de dívidas. Em todos esses anos, seus parceiros corporativos compraram mais de 1,5 milhão de exemplares de seus livros. Ele colabora regularmente no programa *Today*, da NBC. Suze Orman, Jim Cramer e Dave Ramsey também são nomes famosos e permanentes na área de consultoria financeira.

John Gray adotou uma ideia simples de que homens e mulheres estariam em planetas diferentes e transformou-a num fenômeno. Há livros, palestras, workshops, *coaching* e vídeos on-line, sob o império *Homens são de Marte e mulheres são de Vênus.*

Oprah, juntamente com amigas(os) e contemporâneas(os), dominou a televisão e os livros durante décadas: teve de Rachael Ray em assessoria culinária a Dr. Phil em conselhos pessoais e de relacionamentos; de Marianne Williamson em conselhos espirituais, Bob Greene em orientações para exercícios físicos, Tim Gunn em conselhos sobre moda, Nate Berkus em orientação domiciliar e de jardins a Dr. Mehmet Oz sobre saúde.

Certamente, muitas dessas pessoas têm nomes familiares; muitas delas são escritoras(es) best-sellers e celebridades da televisão. Menciono-as aqui porque podem dar uma cara à indústria de experts. Elas ainda ilustram a diversidade de expertises que conseguiram dominar e monetarizar: de desenvolvimento pessoal a finanças pessoais; de relacionamentos a design de estilo de vida; de negócios à espiritualidade.

O que é importante saber sobre elas é que ninguém começou na área sendo rico e famoso. Essas pessoas iniciaram exatamente como você. O que fizeram, em seguida, foi consolidar suas expertises, aprender a empacotar e promover suas mensagens e descobrir um modo de servir ao maior número de pessoas que pudessem.

Você não precisa desejar ser um expert famoso. Talvez esse não seja seu estilo. Pessoalmente, eu tinha evitado a mídia tradicional até recentemente, quando percebi que um novo estilo e uma nova liderança eram requeridos no setor.

Tenho observado e conhecido outros experts que desfrutam de uma vida confortável. Talvez você não saiba o nome deles, mas seu trabalho é ajudar milhares de pessoas graças a suas informações e produtos práticos e úteis. Eles têm carreiras genuínas e realmente ganham dinheiro. Estão nos palcos do país, emitindo conselhos on-line, treinando empresas em seus círculos locais de negócios, e possuem livros, CDs, DVDs e uma grande quantidade de materiais de treinamento. Se você algum dia já assistiu a minha palestra na Experts Academy, encontrará centenas de pessoas comuns fazendo isso de maneira bem-sucedida e feliz, muitas sobre tópicos de que você jamais imaginaria que pudessem ser experts.

Adoro a história de Lorie Marrero. Ela era apaixonada em organizar a casa dela e das amigas. As pessoas visitavam sua casa e diziam: "Lorie, como é que você mantém tudo tão organizado?". À diferença da maioria das pessoas, ela é uma fantástica ouvinte e entendia, inconscientemente, que se várias pessoas lhe perguntam sobre algo, há negócio em vista. Assim, ela se posicionou como expert em organização e começou a ministrar *coaching* a pessoas e empresas sobre como organizar mais eficientemente suas casas e seus locais de trabalho. Sim, ela se tornou uma especialista em organização. Criou um programa on-line sobre o assunto e escreveu um best-seller, *The Clutter Diet: The Skinny on Organize Your Home and Taking Control of Your Life*. Lorie é, atualmente, a porta-voz nacional da Goodwill Industries International e embaixadora do Goodwill's Donate Movement. Ela ainda executa trabalhos como porta-voz para organizações, incluindo a Staples e a Microsoft. Ela é muito procurada pela mídia nacional, incluindo os programas *Good Housekeeping*, CNBC e *Woman's Day*. A *The Container Store* e outros varejistas vendem seus produtos por todo o país.

Então, lanço uma pergunta: você já ouviu falar de Lorie? Muitos, não. Muitos de vocês que estão lendo este livro jamais ouviram falar também de mim. Você vê, há milhares de indivíduos como nós no mercado e geralmente as pessoas só nos conhecem se têm um problema que precisa ser solucionado. Não consegue organizar sua vida? Você encontra Lorie. Não consegue transmitir sua mensagem ao mundo? Você topa com Brendon. Essa é a feição do mundo dos experts não famosos. Como é dito, quando o aluno estiver preparado, o professor aparecerá.

Vamos para outra história. Marci Shimoff era uma mulher feliz. As pessoas sempre perguntavam a ela: "Marci, por que você é tão feliz?" Sua resposta era: "Não tenho motivo para não ser". A exemplo de Lorie, Marci ouvia as pessoas e começava a falar, aplicar *coaching* e escrever sobre o tema da felicidade. E se tornou uma escritora best-seller da lista do *The New York Times*. O título de seu livro? *Os sete passos para ficar de bem com a vida.*

As histórias de Lorie e Marci não apenas ilustram que qualquer pessoa pode se tornar um expert sobre qualquer tema, mas também nos dão uma lição importante. O melhor modo de encontrar sua área de expertise é o indivíduo se perguntar: "O que acontece que as pessoas estão sempre me perguntando quando lidam com o tema...?" Responda a essas perguntas e, se a resposta tiver utilidade a outras pessoas, você tem uma empresa especializada.

E Roger Love? Você já ouviu falar dele? Eu não, até que comecei a procurar por um expert que me ajudasse com minha voz. Perdi a voz em um de meus seminários de quatro dias e fiquei temeroso de que minha carreira estivesse encerrada. Meu amigo Tony Robbins me indicou Roger e ele se tornou o principal *coach* vocal do mundo. Roger aplica *coaching*, oratória e treinamento e tem uma lista de livros e CDs fantásticos sobre performance vocal. Ele treinou algumas pessoas que você pode conhecer, como John Mayer, Reese Witherspoon, Tyra Banks, o grupo Maroon 5, Eminem e muitos dos atores e cantores mais qualificados do planeta.

Rick Frishman era um aposentado do ramo de relações públicas. Quando decidiu ter uma segunda carreira, concluiu que seus clientes favoritos do mundo das relações públicas sempre foram os escritores de livros. Assim, começou sua segunda carreira como especialista em publicação e publicidade editorial, e criou uma série de livros e workshops intitulada *Author 101*, para ajudar novos autores a obterem sucesso. Ele ganhou rios de dinheiro no processo, mas, o mais importante, ajudou milhares de escritores a aprender como transmitir suas mensagens através da escrita.

Frank Kern era treinador de cães em Macon, Geórgia. Um dia, ele descobriu como vender treinamentos on-line e começou a ganhar um bom dinheiro nessa profissão. Então, as pessoas começaram a perguntar: "Frank, como você processa esse marketing digital?". Assim, nasceu sua carreira como expert em marketing na internet. Hoje, ele é o estrategista de marketing da internet mais bem pago do mundo, e suas promoções on-line injetam regularmente US$ 6 milhões para seus clientes. Frank ainda ajudou a criar uma das duas maiores campanhas de marketing na internet, que auferiram mais de US$ 20 milhões em poucas semanas.

Shane e Chantal Valentine eram pais normais, que tinham uma bebê linda chamada Alina. Eles também eram vegetarianos e queriam que ela crescesse alimentando-se com alimentos frescos e saudáveis, em vez daquelas porcarias vendidas em potes. Assim, começaram a preparar papinhas frescas e orgânicas para a filha, mimando-a com uma culinária fantástica de todas as partes do mundo. As pessoas perguntavam: "Ei, como vocês preparam todas essas receitas formidáveis para crianças?". Dessa maneira, nasceu a nova carreira deles como "especialistas em culinária infantil". Desde então, criaram programas e promoções culinárias saudáveis com a Clif Bar, Pixar Studios e a Whole Foods. Quem teria imaginado que eles poderiam se tornar experts em culinária infantil?

Eu poderia compartilhar milhares de histórias de pessoas comuns como Lori, Marci, Roger, Rick, Frank, Shane e Chantal, que se tornaram experts altamente influentes e bem-sucedidos em todos os temas imagináveis. Eu os conheci graças a meus eventos da Experts Academy.

No entanto, este é um livro sobre você, de modo que despenderei menos tempo em histórias inspiracionais e mais em instruí-lo pessoalmente. Se você deseja encontrar centenas de pessoas nessa indústria, simplesmente junte-se a nós na Experts Academy. Bem, agora, este livro é sobre você. Vamos decidir se esta é uma comunidade da qual você realmente quer fazer parte. Aqui estão nove razões que me fazem considerar a "indústria de experts" como a melhor para abrigar uma carreira.

...

1. Seu trabalho é baseado inteiramente em seu entusiasmo e conhecimento.

A indústria de experts é, indubitavelmente, uma das mais apaixonantes e vibrantes que existem. Apenas participe de um de nossos seminários e você verá que isso é verdade. Por quê? Porque nossa indústria é uma das poucas, fora o setor musical, que se fundamenta no encontro e compartilhamento das vozes únicas de nossos membros com o mundo. Compartilhar e ensinar é uma arte verdadeira que inflama entusiasmo no espírito humano. Esse entusiasmo é a razão pela qual tantos fãs e seguidores são inspirados por experts: eles são atraídos para a energia e a paixão pela vida, e também pelos negócios que os experts demonstram ao mundo.

Porém, isso não significa que nossa indústria seja baseada unicamente numa energia arrebatadora, extremante entusiasta e exuberante. Nossa paixão é equiparada e fundamentada pela sabedoria e inteligência. A verdade é que você não consegue ser bem-sucedido em nossa indústria a menos que saiba que pode ajudar outras pessoas a superar seus problemas ou migrar de um ponto até outro.

Assim, apresento-lhe as perguntas essenciais de uma entrevista que eu faria a qualquer pessoa que buscasse uma carreira na indústria de experts: "Você é profundamente apaixonado por seu tópico e por inspirar outras pessoas para que se aperfeiçoem? Que conhecimento você detém sobre a vida ou os negócios que poderia ajudar outras pessoas?"

. . .

2. Suas atividades no que se refere a trabalho estão centradas em "identificar-se e criar".

Como a maioria das pessoas passa os dias úteis na vida real? Como você descreveria suas duas principais atividades no trabalho?

Na comunidade de experts, passamos nosso tempo com apenas duas coisas:

- Identificando-nos com nossa audiência para ganhar sua confiança e entender suas necessidades e ambições.
- Criando informações, conteúdos e produtos práticos e úteis que agreguem valor a nossa audiência e lhe ensine a ter uma vida melhor ou a desenvolver sua empresa.

Essa é, essencialmente, nossa função integral.

Até nossos departamentos de marketing e vendas se restringem a identificar-se com nossos clientes, fornecendo-lhes valor e compartilhando informações em nossos sites, blogues, artigos, produtos e vídeos. Você não precisa ser um gênio em marketing, uma pessoa extremamente carismática ou um vendedor trapaceiro para ser bem-sucedido em nosso segmento, apesar dos antigos mitos. A realidade é que estamos vendo uma entrada impressionante de novos membros em nossa comunidade, precisamente porque mais e mais pessoas estão percebendo que compartilhar suas mensagens pode ser feito sem forçar a credulidade dos outros nessa nova era do marketing. As pessoas estão vendo que nossas vendas são, de fato, orientadas por serviços. Posso dizer com autoridade que, pelos tópicos e nichos, é visível que todas as campanhas de vendas de nosso setor que estão dando certo se processam, essencialmente, dessa forma: disponibilizamos informações grátis que agregam valor às vidas das pessoas e, então, em algum ponto, é dito: "Ei, se você gostou dessas informações, também tenho um programa e/ou produto que você pode comprar e se aprofundar muito mais no assunto". Isso não é fácil?

Para triunfar, nós, especialistas, apenas temos de conhecer bem nossos clientes. Devemos ter compaixão por aqueles que lutam contra certos desafios e devemos criar um mapa para que eles sigam com vistas a melhorar sua situação, quer na vida pessoal ou profissional. Trata-se de um negócio real sobre relacionamento. Quanto mais conhecermos nossos clientes e sabermos do que eles precisam, mais podemos personalizar nossas mensagens e métodos para ajudá-los.

Assim que conhecemos nossos clientes, o trabalho volta-se para criar informações práticas, úteis, valiosas e únicas para eles. Normalmente chamo isso de "empacotar suas informações", o que significa criar artigos, *webinars*, vídeos, podcasts, workshops e programas de *coaching* úteis, que transmitam sua mensagem. A parte de criação dessa atividade é o que, acredito, ativa a maior parte de energia e expressão artística em nosso trabalho. Você frequentemente ouve as pessoas em meus seminários gritando alto com alegria: "Eu sou um criador!", pois elas concluem que podem novamente explorar a parte criativa e expressiva de suas vidas que fora eliminada em seus trabalhos na vida real.

Como nosso trabalho é tão focado em identificar-se e criar, gosto de afirmar que a comunidade de experts é, verdadeiramente, o primeiro ponto genuíno de pouso para o que Richard Florida intitulou de "a classe criativa". A maior parte das pessoas criativas deseja criar mais coisas, especialmente conceitos estimulados por ideias que ajudem as pessoas a terem vidas melhores. Bem, isso é o que fazemos em período integral. Os experts são o segmento econômico estimulado por ideias e que mais cria conteúdo. Vivemos no mundo da informação e estamos criando todo esse contexto. Somos os artistas e os impulsionadores da era da informação.

...

3. Você trabalha em qualquer lugar e a qualquer hora, começando agora.

Quando Tim Ferriss escreveu *Trabalhe 4 horas por semana*, não tinha nenhuma ideia de quão grande essa ideia seria ou de quantas pessoas achariam que sua abordagem era totalmente inimaginável. Mas, certamente, foi fácil para ele imaginar uma semana de trabalho de quatro horas. Tim é um expert. Equipada com um laptop e um telefone, a maioria dos experts consegue ganhar milhões de dólares trabalhando em qualquer lugar e a qualquer hora que desejarem.

Sei que isso é verdade. Quando comecei, tudo o que tinha eram esses dois aparelhos. Não tinha dinheiro, influência, reconhecimento pelo nome, tios ricos, nada. Dispunha unicamente de uma mensagem e de um sonho e, em pouco tempo, meu computador passou a ser meu único recurso necessário. Meu laptop tornou-se meu caixa eletrônico automático, habilitando-me a escrever artigos e livro e criar e postar *webinars*, vídeos e programas on-line pelos quais as pessoas me pagavam. Meu telefone possibilitou-me fazer teleconferências ou audioconferências em grupo pelos quais as pessoas pagavam para se associar. Fiz 100% desses trabalhos em casa. Hoje, embora gerindo marcas de US$ 5 milhões na indústria de experts, ainda trabalho essencialmente em casa ou no

Experts Studio, um condomínio em que montei um estúdio de vídeo. O custo da montagem de um bom estúdio de vídeo hoje em dia é menor que US$ 2 mil.

Bem poucas companhias pioneiras (*start-ups*) no mundo, fora de empresas de internet, exigem muito pouco em termos de investimentos em capital ou recursos. Com base em minha experiência no nicho dos experts e em nossas pesquisas com ex-alunos da Experts Academy, estimei que 92% de nosso segmento trabalha em casa. Geralmente dizemos: "Mensagem? Cheque. Conhecimento? Cheque. Público a servir? Cheque. Laptop e telefone? Espere cheques."

...

4. Você trabalha com quem quer.

Na condição de empreendedores, os experts contratam e demitem qualquer pessoa que quiserem, e podemos incluir também o abandono de clientes mal-educados. Não estamos à mercê de chefes grosseiros, colegas malucos, bajuladores ou qualquer outro alpinista social que faz politicagem no trabalho. Como se trata de um setor baseado unicamente no entusiasmo individual, em nosso conhecimento e em nossa habilidade para nos relacionarmos com nosso público e gerar informações valiosas para eles, controlamos nosso destino. Somos especialistas empreendedores e, portanto, a nós aplicam-se todos os benefícios típicos de um empreendedor.

A vantagem de estarmos numa comunidade de experts, no entanto, não é apenas não precisar trabalhar com outras pessoas que achamos desagradáveis. Trata-se também de que podemos escolher com quem trabalhar. Os indivíduos que trabalham no nicho dos experts são incrivelmente abertos a colaborações, *joint ventures*, compartilhamento de conteúdos e parcerias promocionais. Como todos sabemos que nossa primeira missão é compartilhar nossa mensagem, aproveitamos praticamente qualquer oportunidade para revelá-la, quer sejamos entrevistados, ou citados nos livros e pacotes de produtos dos outros membros.

Darei um exemplo a você. Meu amigo Tony Robbins estava trabalhando na criação de um novo curso, que chamou de "The New Money Masters". Ele queria entrevistar pessoas que tinham realmente dominado o marketing digital. Ele já sabia criar aquele programa sozinho, mas sabendo que esta é uma comunidade criativa e colaborativa, preferiu entrevistar outros especialistas.

Ele me pediu para que eu participasse e, alegremente, concordei. Fiz uma viagem de avião até seu estúdio de vídeo, e filmamos uma ótima entrevista. Não fui pago por isso e nem pedi para ser remunerado, pois sei que compartilhar minha mensagem é o mais importante e porque, na comunidade, é fantástico colaborar. Ao todo, Tony entrevistou 12 entre os melhores profissionais do nicho do marketing digital, incluindo meus amigos Frank Kern, Eben Pagan, John Reese, Dean Jackson, Jeff Walker e Mike Koenigs, o homem que apresentou pela primeira vez muitos deles a Tony. O curso tornou-se um sucesso multimilionário. Tenho aparecido em dois outros formatos para Tony, e ele retribuiu o favor ao participar como orador e promover meu seminário na Experts Academy.

Dou esse exemplo, pois ele ilustra uma série de situações. Primeiro, os experts estão sempre abertos a compartilhar sua expertise a fim de transmitir suas mensagens para o mundo. Imagine uma realidade em que você pode trabalhar ao lado de seus mentores e gurus. Isso fornece uma capacitação profunda.

Segundo, devido à natureza colaborativa do setor, você não precisa ser o guru em todos os temas; você pode simplesmente entrevistar outros experts. Eu não posso ensinar o que Tony Robbins ensina, de modo que o convido para que ele ensine seu assunto a meu público, e ele faz o mesmo comigo. Se desejo convidar um expert sobre determinado assunto em meus eventos ou exibir seus conselhos em meus sites ou *webinars*, faço isso pelo e-mail. Os experts são pessoas extremamente abertas e acessíveis. Isso sempre surpreende os novatos.

Se você faz a diferença, como Tony tem feito desde seu primeiro dia, todos ajudarão. Adoro isso nesta comunidade.

Tenho sido abençoado por trabalhar com todos que sonhei trabalhar um dia no setor. Meu trabalho tem me ajudado a conhecer presidentes, líderes espirituais, celebridades, CEOs e pioneiros em praticamente qualquer indústria sobre a qual já fui curioso. Os especialistas são tão abertos a compartilhar suas expertises que esta é uma das maiores vantagens do que fazemos. Posteriormente, neste livro, discutirei como melhorar o compartilhamento de insights sobre nossos negócios, não apenas em nossas áreas de expertise.

...

5. Suas promoções baseiam-se em suas promoções.

Adoro este fato: na qualidade de um expert, se deseja receber mais, simplesmente se promova mais (assumindo, claro, que você faça um ótimo trabalho).

À diferença do pagamento por hora do mundo organizacional, suas promoções não são baseadas nas aprovações incontroláveis de seu gerente. Em vez disso, seu pagamento se baseia em quanto você está fazendo para promover sua mensagem e seus produtos e programas informativos para o mundo. De modo geral, quanto mais promoções você faz eficazmente, mais receita obtém e mais pessoas ajuda. Essa é a razão pela qual sempre digo que você pode fazer a diferença e enriquecer simplesmente promovendo boas recomendações e informações práticas e úteis.

Esse conceito torna-se mais e mais poderoso à medida que você ganha um maior número de fãs e seguidores. Quanto maior seu público, maiores serão suas receitas, pressupondo que você esteja agregando valor, gerando um profundo e real relacionamento e vendendo de maneira estratégica e inteligente. É isso o que ensinamos na Experts Academy.

Mas não se preocupe: sua remuneração não se baseia apenas no tamanho de sua lista de assinantes, como temem muitos novatos. Todos nós iniciamos sem nenhuma lista, nenhuma base de fãs e nenhum canal para nossas vozes. Todavia, conseguimos construir mais e mais quanto mais valor agregamos.

Os sentimentos de medo que nascem por se ter uma lista pequena podem ser amenizados pela minha última proposição: você pode trabalhar com outras pessoas na comunidade de experts. Jamais esqueça que outros experts e canais, como a mídia, têm grandes audiências, e eles podem ajudá-lo a transmitir sua mensagem ao mundo. Por exemplo, você pode ser entrevistado e promovido por outros especialistas em seu gênero e compartilhar todos os lucros obtidos. Cobrirei esse conceito, chamado programa de afiliação, posteriormente.

Deixe-me mostrar o funcionamento desse conceito. Cada vez que monto uma promoção nos dias de hoje, posso geralmente ganhar US$ 200 mil com alguns e-mails. Quanto mais e-mails envio, mais ganho em receita. Naturalmente, tenho de assegurar que não vendo demasiadamente a meu público. E quanto mais inteligentes forem minhas promoções, e quanto mais pessoas eu engajar para promovê-las comigo, maior o número de pessoas que posso atingir com minha mensagem e maior o lucro que obtenho. Recentemente, lancei um novo programa de treinamento e obtive mais de US$ 2 milhões em apenas dez dias. Essa foi uma ótima promoção.

Conforme disse anteriormente, você não tem de ficar intimidado com todas essas conversas sobre promoções e marketing. Nossas campanhas de venda funcionam essencialmente da seguinte forma: enviamos informações grátis que adicionam algo mais, de valor, à vida das pessoas: "Se você gostou daquelas informações, também tenho um programa e/ou produto que você pode comprar para se aprofundar muito mais no assunto". É muito provável que isso aconteça e foi dessa maneira, exatamente, que ganhei aqueles US$ 2 milhões. Agora sei que, sempre que quiser ter uma maior receita, tenho de agregar mais valor ao mercado e, em seguida, oferecer uma venda casada.

Sei que algumas pessoas não gostam que eu compartilhe cifras financeiras e fale sobre dinheiro, mas acho isso importante. Acredito que o público deve saber que o significado e o dinheiro podem se misturar e que, se você ganha mais dinheiro, é possível ajudar mais pessoas.

6. Você recebe pelo valor que fornece, não pelas horas que trabalha.

O trabalho por hora é uma realidade terrível para a maior parte das pessoas, mas não o é para os experts bem-instruídos. Não somos remunerados pela hora de nosso valor, como podemos cobrar pelo item "mudou minha vida em uma hora"? Somos remunerados pelo valor que fornecemos. Pode levar anos e anos para as pessoas do mundo corporativo ou tradicional entenderem isso. Certamente, levou um longo tempo para mim.

Lembro-me de receber um telefonema, quando estava iniciando na carreira, de um homem que ouvira a minha mensagem. Ele me perguntou se eu aceitaria ser seu *coach* pessoal para ajudá-lo a pensar sobre sua vida e planejar algo maior. Tinha 53 anos e creio que, à época, eu tinha a metade de sua idade. Conversamos durante algum tempo e parecia que lhe faltava clareza sobre quem ele era e onde desejava chegar. Fiz-lhe algumas perguntas, que ele considerou profundas e úteis. No final de nosso contato, ele me perguntou quanto que eu cobrava. Eu não tinha pensado sobre aquilo e, timidamente, lhe disse que nunca tinha sido *coach* pessoal ou trabalhado num contato direto com as pessoas. Tinha sido, até então, consultor de empresas e escritor de livros.

Como não sabia responder a sua pergunta sobre o preço, perguntei a ele: "Bem, com base no que estou tentando fazer, quanto você pensa que devia lhe cobrar?".

Ele respondeu rapidamente: "Bem, ouvi falar que *coaches* pessoais ganham 200 dólares a hora. Vamos começar com essa quantia."

Naquela ocasião, quase caí da cadeira: 200 dólares a hora!

Isso é o que recebe um advogado capacitado, pensei, e, então, disse: "Combinado".

No intervalo de meses, tudo estava indo tão bem que outras pessoas começaram a me pedir para aplicar *coaching* nelas. E, naquela época, eu ouvira sobre outros *coaches* pessoais e de negócios que estavam cobrando entre US$ 300 e US$ 1.000 por hora. Assim, aumentei meus honorários para US$ 600 e, rapidamente, tinha uma lista de pessoas para ligar e aplicar *coaching* todos os meses. Desse modo, decidi elevar meus honorários novamente e, logo após, tinha mais clientes. Em pouco tempo, detestava minha vida, pois estava sempre com o telefone colado em minha orelha. Adorava aplicar *coaching*, mas precisava de mais variedade e flexibilidade. Portanto, elevei meus preços novamente. Em certo momento, estava cobrando US$ 5 mil por hora.

Como é que alguém pagaria a qualquer pessoa aquela quantia de dinheiro somente por uma hora? É simples, não se trata dos minutos de uma hora, mas da diferença em sua vida. Se alguém lhe fornece ideias, informações, estratégias e conexões que possam forçá-lo a progredir na vida e nos negócios, você não liga para seu relógio e seu bolso.

Por exemplo, qual a quantia que você gastaria para ter uma hora com uma pessoa que pudesse melhorar radicalmente a qualidade de sua vida para sempre? Que tal uma reunião com uma pessoa que tivesse obtido mais de US$ 1 milhão do que você em seu negócio e que estivesse disposto a dizer-lhe exatamente como fazê-lo?

Gosto de compartilhar essa metáfora. Suponha que você encontre uma mulher na rua que esteja significativamente mais feliz que você. Assim que ajusta a caixa nas mãos contendo US$ 1 milhão, ela lhe diz: "Ei, ganhei um milhão de dólares fazendo o que você faz, e obtive essa quantia em um ano com a metade dos recursos que você tem. Você estaria disposto a colocar mil dólares nesta caixa se eu concordasse em almoçar com você durante cerca de uma hora e lhe dissesse exatamente como eu consegui isso, para que você também possa conseguir?".

Por conhecer meu público, estou certo de que você estaria girando os olhos e, provavelmente, chamaria a polícia nessa situação. Mas você entendeu a ideia. A maioria das pessoas pagaria uma bela quantia de dinheiro para aprender a ser mais feliz e mais bem-sucedida. E os que não pagariam? Simples: deseje-lhes boa sorte e continue. Eles não são seus clientes.

Esse tempo *versus* valor opera em tudo que fazemos nesta indústria. Talvez você leve apenas um dia para criar e escrever uma ótima palestra, mas é possível que receba de US$ 10 mil a US$ 50 mil por palestra como orador profissional. Se você ministra apenas cinco palestras ao ano, seu tempo foi bem gasto? A maioria das pessoas responderia que sim.

Você pode passar duas semanas criando um seminário de fim de semana, mas cobra US$ 1.000 por ingresso e consegue a participação de 500 pessoas, ganhando fantásticos US$ 500 mil. Pode passar um mês planejando e gravando vídeos para um programa de treinamento on-line e, em seguida, registrar mil pessoas a US$ 100 . Isso dá 100 mil num mês. O tempo significa pouco quando você está se relacionando e criando no mundo dos experts.

Sei que tudo isso parece fora do alcance para a maioria das pessoas. Mas, você verá no capítulo 6 , "O guia financeiro do mensageiro milionário", com que rapidez é possível agregar valor e potencialmente obter US$ 1 milhão simplesmente por empacotar suas recomendações práticas e úteis e aplicar um marketing digital básico.

Sem dúvida, serei criticado por dar números e falar sobre dinheiro dessa maneira, mas, novamente, acho que é importante para as pessoas verem as possibilidades. Você e eu sabemos que algumas pessoas encontrarão o sucesso neste livro e outras, não. Todos nós temos diferentes experiências, aptidões, talentos, habilidades e recursos. Também sei, após instruir dezenas de milhares de pessoas como você, que é possível se tornar um expert muito bem remunerado e que começar é surpreendentemente fácil.

...

7. Você não precisa de uma equipe grande.

Um mito dominante em nossa indústria é que é necessário ter uma equipe grande para se obter sucesso. Certamente você vai precisar de uma equipe excelente de profissionais de marketing e de vendas para atingir milhões de pessoas, correto? Esta é uma hipótese fácil de se deduzir, especialmente quando você vê seus gurus favoritos na televisão e na internet.

Entretanto, a realidade é um quadro muito diferente. Lembro-me de assistir a um congresso em 2007 liderado por Mark Victor

Hanser, da célebre *Canja de galinha para a alma*. À época, ele e o cocriador Jack Canfield tinham um fenômeno de alcance mundial nas mãos, vendiam mais de 100 milhões de exemplares da série de livros e lotavam eventos por todos os cantos. Quando participei de seus eventos dedicados a autores, na esperança de criar um império de similar sucesso, saí um pouco de meu padrão para conhecer e me tornar amigo dos membros do grupo. Jamais esquecerei quando conheci Lisa, profissional muito gentil e informal, que me contou que todo o staff de Mark consistia de praticamente cinco funcionários e membros principais. Um negócio de US$ 100 milhões, mas somente cinco funcionários? Eu não acreditava naquilo!

No ano seguinte, fiz amizade com praticamente todos os gurus dos segmentos de desenvolvimento pessoal e marketing digital, e constatei que cinco funcionários não eram, de fato, a norma. A maioria dos gurus tinha ainda menos funcionários, se tivessem algum. O líder médio da indústria contratava de um a três funcionários em regime integral em algum momento, geralmente logo após terem obtido sucesso em algo. A maior parte deles apenas terceirizava suas necessidades segundo cada projeto.

Nosso setor é perfeito para a terceirização. A maioria dos experts tem necessidades de curto prazo: criar um site, agendar entrevistas, filmar vídeos, responder a clientes e fãs, lançar livros em várias cidades e escrever e postar artigos. A vida sonhada que Tim Ferriss pintou em *Trabalhe 4 horas por semana*, uma vida de lazer possível somente por causa dos assistentes virtuais e contratados terceirizados, revelou-se um retrato muito acurado do que é a realidade ou do que é possível para os experts empreendedores.

Na Experts Academy, há sempre muitas discussões sobre a contratação e a terceirização de pessoal. Em um de nossos recentes eventos, T. Harv Eker, o autor de *Os segredos da mente milionária*, best-seller listado no *The New York Times*, revelou que tinha tomado uma decisão lamentável ao contratar um número exagerado de pessoas. Como muitos outros, ele seguiu a recomendação de homens de negócio e investidores tradicionais que não tinham nenhuma ideia de como funciona nossa indústria. Senti o pesar que ele transmitia quando nos contou que precisava dispensar funcionários por causa de sua contratação exagerada.

Apresento agora um ponto de vista que tenho mantido por três anos: não contrate empregados quando começar a atuar nesta indústria. Aprenda as habilidades necessárias para dominar seu próprio destino. Eis aqui minha afirmação mais controversa: se você já tem mais de dez funcionários nessa indústria, consequentemente se insere em um ou mais dos seguintes itens: (a) não está contratando inteligentemente; (b) não está montando sua infraestrutura inteligentemente; (c) não está liderando nem delegando inteligentemente; (d) não está formando parcerias efetivamente; ou (e) não está terceirizando inteligentemente.

Entendo que soe desrespeitoso e admito que, se estivesse dizendo isso há dez anos, seria um tolo. No entanto, é difícil argumentar contra essa ideia agora que Thomas Friedman provou que vivemos num mundo plano, que Daniel Pink mostrou que vivemos numa nação sem agentes e que Ferriss nos mostrou tudo o que é possível fazer com assistentes virtuais e delegação inteligente. Apoie-se na facilidade de terceirização que o www.elance.com nos oferece, no advento do modelo de manufatura e distribuição sob demanda, e ficará claro que o novo modelo de negócios para experts exige realmente poucos funcionários, se exigir algum. Não apenas posso provar logicamente esse ponto, mas, num nível tático, o tenho provado em minha própria empresa e nas empresas de muitos de meus clientes. Pessoalmente, criei um negócio especializado multimilionário sem um único funcionário e jamais contratei um membro de equipe em regime integral até obter um faturamento superior a US$ 2 milhões.

Conclusão final: não receie o monstro do staff. Milhares de supostos experts param em suas trajetórias antes de, inclusive, iniciar as atividades, devido a esse temor. Você pode se tornar um mestre nessa indústria com um mínimo de despesas voltadas ao seu quadro de pessoal.

...

8. As ferramentas para o sucesso
são simples e baratas.

A baixa barreira para a entrada na indústria de experts determinada pela terceirização tem sido ainda mais reduzida pelo advento de ferramentas e programas de software simples, baratos e geralmente gratuitos que possibilitam que os especialistas possam disseminar suas recomendações e mensagens por todas as partes do mundo.

Já houve a época em que as ferramentas necessárias para se obter êxito no nicho dos experts estavam fora do alcance da maioria das pessoas. Essas ferramentas incluíam sites luxuosos, softwares de CRM[2] custosos, empresas de relações públicas caras, fabricantes de produtos automatizados, grandes cadeias varejistas que não aceitavam nossos produtos e preços exorbitantes de tempo de estúdio para a gravação de vídeos e programas de áudio.

Como os tempos mudaram! Com alguns cliques no mouse, qualquer expert, em qualquer lugar do mundo, pode ter: um site e um blogue (obrigado, WordPress), uma rede social (obrigado, Facebook), um canal de relações públicas (obrigado, novamente, Facebook, e seu primo com *déficit* de atenção, Twitter), transmissão de estação televisiva para todas as regiões do mundo (obrigado, YouTube), um software embutido de gravação em todos os novos computadores (obrigado, Apple) e uma loja on-line para aceitar dinheiro (obrigado, PayPal, Google Checkout e Yahoo Small Business), para citar alguns.

Esta nova realidade é uma das principais razões por que senti que era tempo de escrever e publicar este livro, pois a barreira para a entrada no nicho dos experts tinha sido destruída. Não é apenas o que podemos fazer on-line agora que me impressiona, mas também o que podemos fazer em termos de criar, fabricar e distribuir produtos. Há menos de uma década, os especialistas tinham de recorrer a estúdios de som ou

---

[2] CRM é um software de gestão de relacionamento com clientes (N. E.).

de TV muito caros para gravar seus produtos de treinamento em áudio e vídeo. Em seguida, tinham de pagar para editar essas gravações a um custo de milhares de dólares e, finalmente, enviá-los a um fabricante que exigia pedidos com grandes quantidades para obter um contrato decente. Quando criados, os produtos tinham de ser enviados a distribuidores, que tentavam colocá-los em lojas e cuidavam do recebimento, empacotamento e das remessas desses mesmos produtos.

Hoje, esse processo passou a ser barato, fácil e rápido. Posso gravar um programa de áudio em meu computador ou um vídeo com uma câmera digital. Em seguida, posso enviar o arquivo por e-mail a um manufaturador que me ajuda a desenhar o produto e, também, a criar, materializar e enviar o produto resultante. Eis aqui o que é mais impressionante: os produtores e distribuidores são, essencialmente, os mesmos em nossa indústria atual, e eles não nos exigem a criação de uma tonelada de material que fica num depósito enquanto esperamos pela chegada dos pedidos. Contrariamente, no que é conhecido como tecnologia *print-on--demand*, os manufaturadores não prensam nenhum dos produtos até que eles sejam comprados. Não existe estoque até que um cliente acione o botão check-out em seu site. E, quando o fazem, pronto! O produto é fabricado e remetido no mesmo dia sem você erguer um dedo. Esse é o ponto modificador do jogo em nosso setor.

Outra inovação foi o software de CRM, ou gestão de relacionamento com clientes. A capacidade de capturar nomes e e-mails de clientes (contatos) acompanhada de uma sequência automatizada de e-mails de resposta automática, somada ao processo on-line de pedidos, costumava ser algo que somente empresas bem-estabelecidas conseguiam sustentar. Os dias de montagens técnicas e de integração de softwares personalizados, terrivelmente difíceis, terminaram com a quebra da "bolha" na virada do século. Hoje, você pode ter uma loja on-line e um carrinho de compras configurados em uma hora, pagando cerca de US$ 100 por mês.

A evolução dos blogues e dos programas de gerenciamento de conteúdo on-line também tem mudado o jogo e permitido que criemos facilmente sites para assinantes extremamente lucrativos. Funciona assim: você insere uma porção de conteúdo com informações práticas e úteis, e treinamentos para os indivíduos acessarem, quer instantaneamente ou em horas específicas, e essas pessoas se tornam membros e pagam para acessar o site. Com sites desse tipo, você nem precisa criar produtos físicos, e nossa indústria está se movendo cada vez mais para um modelo de entrega on-line. Recentemente, tive mais de mil novos clientes que se cadastraram para acessar um site exclusivo de membros que continha informações práticas e úteis para a criação de um império do expert. Isso acontece todo o tempo neste setor.

...

9. O rendimento financeiro é desproporcional em relação ao de qualquer outra indústria.

Já falei sobre a incrível remuneração financeira de ser um expert e, assim, não é necessário martelar ainda mais neste ponto.

No entanto, antes de lhe mostrar como se tornar um especialista no próximo capítulo e, depois, como é possível ganhar seus primeiros milhões de dólares no capítulo subsequente, tenho algumas questões.

Primeiro, por mais difícil que possa ser, você tem de reajustar sua noção de dinheiro. Para a maioria das pessoas, dinheiro é um tema tabu. Mas, se você escolhe essa carreira, está agora no negócio de compartilhar sua mensagem com o mundo. E os homens de negócios falam sobre dinheiro. As pessoas lhe perguntarão quanto você cobra, quanto ganha e quanto poupa. Você terá ainda de começar a revelar detalhes de sua vida aos demais, se isso for relevante ao seu tópico. Se você ensina algo sobre ganhar dinheiro ou conquistar uma riqueza financeira, as pessoas naturalmente desejarão saber sobre seus próprios resultados nessa área. Portanto, acostume-se com isso.

Você também pode reexaminar seriamente suas associações e ambições relacionadas ao dinheiro. O que aprendeu sobre dinheiro com seus pais, com sua comunidade e com a mídia talvez não lhe sirva mais se agora você tiver visões maiores para ajudar mais pessoas no mundo e, sim, em retorno, ganhar mais dinheiro.

Lidar com o conceito de dinheiro foi muito difícil para mim do ponto de vista pessoal e, honestamente, ainda é. Hoje, posso enviar um e-mail e ganhar US$ 100 mil muito rapidamente. Eu, regularmente, recuso clientes que querem me pagar 50 mil ao ano para receber *coaching*. Recebo mais para falar por uma hora em um congresso do que meus pais ganhavam num ano inteiro. Não digo nada disso para me gabar, e sim para revelar algo estranho com o qual você pode se identificar: ajudar as pessoas e ganhar dinheiro ao mesmo tempo pode nos fazer sentir culpados, incomodados e pouco à vontade.

Sei que ninguém lê este último parágrafo e diz: "Oh, pobre Brendon, se sente mal porque ele tem muito dinheiro!"; então vamos trocar as lentes por um momento.

O que um homem excepcionalmente rico significa para você? Seria fácil explicar a sua família e seus amigos? Seria normal se você fosse um guru afamado? Sua mentalidade e seu condicionamento sobre dinheiro lhe possibilitariam manter a riqueza recém-encontrada ou você a perderia facilmente, como os ganhadores da loteria o fazem?

É interessante pensar sobre isso. Culpa, desconforto e ficar pouco à vontade foram minhas primeiras reações à riqueza por causa do modo como fui exposto (talvez, subexposto) ao dinheiro.

Fui criado numa cidade pequena, Butte, Montana. Há um século, Butte era uma metrópole burguesa, uma das primeiras cinco cidades do mundo a ter eletricidade. Você vê, a cidade situava-se sobre um depósito maciço de cobre e, antes de o aço se instalar, o cobre era o metal que mais se usava. Assim, houve uma explosão demográfica com a chegada dos imigrantes e mineradores de todas as partes do mundo, especialmente da Irlanda. Como acontece em todas as indústrias de trabalho pesado, logo emergiu uma brusca desconfiança entre os trabalhadores e "aquelas pessoas ricas". Mas, em breve, o cobre envenenaria a terra, o aço e o alumínio se tornariam mais confiáveis e desejáveis e Butte decresceria em meio a uma contínua e longa disputa econômica. Até hoje, pairando sobre a cidade como um espectro de morte, resta um fosso de resíduos tóxicos da mineração de uma milha de largura por uma milha de profundidade. Bandos de pássaros morrem quando pousam nele e não há meios de decompor o material, tornando o Berkeley Pit, que encima a localidade, um dos maiores desastres ambientais do planeta. Até hoje, as pessoas ricas são vistas com desconfiança, com um olhar que aponta: "Essas pessoas ricas...". Sei disso, pois costumava olhar para os ricos desse jeito.

Moramos em Butte quando eu era muito jovem, e não demorou muito tempo para eu descobrir quão difícil tinha sido nossa vida. Lembro perfeitamente de um inverno quando o aquecedor de nossa casa quebrou. Na cidade, era comum que a temperatura caísse em média de 12 a 32 graus abaixo de zero, de modo que estávamos numa situação perigosíssima. Para lidar com o problema, meus pais tiraram a tenda de camping da garagem e a montaram em nossa pequena sala de visita. Em seguida, colocaram todos os sacos de dormir, cobertores e mantas que puderam na tenda, e todos nós nos encolhemos e acampamos lá por cerca de duas semanas. Certamente, nós, crianças, não sabíamos que se tratava de uma situação delicada, muito embora nossa mãe terminasse o preparo do jantar em bicos de Bunsen quando a eletricidade era interrompida nas tempestades. De outra forma, pavoneávamos na escola alardeando como éramos bacanas, pois estávamos acampando em nossa própria casa! Ao compartilhar essas lembranças depois de algumas décadas, minha mãe nos dizia: "Vocês não sabiam que estávamos acampados porque o aquecedor estava quebrado, e porque estávamos esperando pelos próximos pagamentos de modo a conseguir repará-lo?"

Uma história tola, eu sei, mas ela ilustra como crescemos. Fomos criados sem nada, sem coisas materiais, mas criados com abundância por causa dos recursos de meus pais. Até hoje me surpreendo como eles conseguiram administrar tão bem quatro crianças.

Mas, no meio em que fui criado, jamais falamos sobre dinheiro, a menos que fosse o tipo de discussão estressante. O "esquema sobre dinheiro" delineado em minha mente essencialmente apontava: "Nós não precisamos de dinheiro, pois conseguimos sobreviver com pouco e, além disso, ninguém gosta de ricos". Esse é um plano muito diferente do que tive de adotar como homem de negócios, que diz: "Lucre bastante de modo que possa continuar a tocar mais pessoas com sua mensagem".

Ao ficar muito rico, me senti culpado por ter mais dinheiro do que o necessário por causa de meu histórico, e também porque via outras pessoas no mercado com mensagens tão importantes que estavam tendo dificuldades. Essa é a razão pela qual transformei minha culpa em estímulo de modo a ajudar os demais a encontrar e compartilhar suas vozes. Isso tem me ajudado a não me incomodar mais com a riqueza, pois ser rico também está ligado ao ato de fazer a diferença.

Como reflexão final, todas as pessoas que conheci não se sentem muito à vontade em ganhar (ou poupar) dinheiro. Podem ser escritos muitos livros sobre a razão pela qual precisamos de estabilidade e de certeza em nossas vidas financeiras. Mas não vou escrevê-los. Em vez disso, permita-me deixá-lo com uma reflexão simples: por que não gastar esse tempo que passamos pensando em fazer a diferença, fazendo, simplesmente, a diferença? Espero que este capítulo tenha fornecido algum insight sobre o que significa ser um expert empreendedor: a convocação em si e o estilo de vida. Você pode ter um estilo de vida e um negócio extraordinários simplesmente compartilhando suas mensagens com os outros. Quando fizer isso suficientemente bem, irá se tornar um mensageiro milionário.

• • •

CAPÍTULO 4

Você: guru de recomendações

Venho ensinando pessoas iguais a você a conseguir em êxito como especialistas há bastante tempo, portanto, sei que já tem perguntas sobre como tudo isso funciona e se pode efetivamente ser um expert em algo. Neste capítulo mostrarei como é fácil se tornar um expert e agregar valor às pessoas de um modo que mude suas vidas ou as ajude a obter êxito em qualquer área.

Assim, vamos iniciar com a pergunta mais premente em sua mente e a que é mais frequente: "Brendon, como eu poderia ser considerado um expert, e, a propósito, quem desejaria me ouvir atentamente?".

Para essa pergunta, tenho uma resposta em três partes.

…

O expert em resultados

Primeiro, jamais esqueça que, na estrada da vida, você precisa avançar mais do que algumas pessoas e que as lições que tem aprendido são úteis e valiosas para outros.

Neste ponto de sua vida, você sabe amarrar os sapatos, mas outros que são mais jovens e que estão muito atrasados em relação a você não sabem. Você sabe dirigir um carro, outros, não. Você pode saber como conseguir um emprego, enquanto outros, não. Você pode saber como ser promovido, bordar um tapete, fazer um ótimo negócio com um carro, escrever uma canção, produzir um filme, criar um blogue, livrar-se de dívidas, perder alguns quilos, melhorar um casamento, liderar outras pessoas, lidar com críticas, dar à luz uma criança, gerir funcionários, tirar nota alta num exame, encontrar um agente, superar o medo, tratar de uma pessoa enferma, ministrar uma boa palestra, comprar uma casa, descobrir o estilo perfeito de roupa, recomeçar uma vida normal após uma doença grave, pode fazer tudo em que você pensar. Outros, talvez, não.

Pelo simples ato de ter executado algumas tarefas fundamentais na vida, você construiu o que chamo "expertise acidental". Você provavelmente não se considera um especialista, mas a verdade é que outras pessoas estão lá fora, aos milhões, tentando descobrir algo que provavelmente você já sabe. A exemplo de uma criança que olha admirada para um adulto que consegue amarrar um sapato, algo que elas ainda têm de descobrir, mas valorizam profundamente, outras pessoas podem olhar para o que você já sabe (e pagar por).

Se você se sentar e fizer uma lista de todas as coisas que aprendeu e experimentou na vida e nos negócios, constatará que conhece muito. Na realidade, ficará chocado com a extensão que essa lista realmente tem. Você concluirá que, de fato, já é o que denomino "expert de resultados", alguém que tem "estado lá, executado" e agora pode ensinar aos outros.

O que é notável neste ponto é que milhões de pessoas lhe pagarão para extrair recomendações e conhecimentos básicos de você. Sei que pode parecer um exagero, mas pense nisto: você alguma vez já pagou para aprender a criar um bom currículo (aposto que comprou um livro sobre o assunto), comprou um programa de áudio para motivá-lo (eu fiz isso) ou usou seu cartão de crédito para pagar pelo acesso a algumas informações on-line ou a um treinamento (quem não fez?)? Embora esses possam ter sido momentos não perceptíveis para você, eles são exemplos da economia dos experts em ação. Alguma pessoa sabia como fazer algo, e você a remunerou por isso. Elas tinham o resultado que você queria e, portanto, você pagou para eliminar alguns meses ou anos de sua curva de aprendizado. Pagou por informações que podiam ajudá-lo a sair de um ponto e chegar a outro na estrada da vida. Você pagou por resultados. É assim tão simples.

Assim, faço a seguinte pergunta: que resultados você obteve na vida e nos negócios? Uma porção de pessoas que me contratam como *coach* me dizem: "Mas, Brendon, não sei que resultados tenho obtido e não sei que expertise tenho".

A essas pessoas, respondo gentilmente: "Sim, de fato você não sabe. Mas todas as respostas estão dentro de você". Então, de modo a provar-lhes isso, geralmente lhes passo uma atividade de conclusão de frases. Escrevo o início de uma frase e deixo que elas a finalizem. Por exemplo, forneço--lhes uma declaração que afirma: "Os segredos que aprendi para termos um casamento feliz são...". É espantosa a rapidez com que conseguem completar a frase. Preencheriam imediatamente: "ouça mais", "mostre mais admiração", "respeite" ou "programe noites a dois". A maioria dos clientes se surpreende como sabe terminar a sentença. Eles apresentam uma sensação renovada de confiança e competência quando veem que todos têm as respostas em seu íntimo.

Vou lhe passar algumas atividades de finalização de frases similares que denomino "Indicadores para experts" ao longo deste livro. Quando você completar essas declarações profundas, porém simples, começará a descobrir temas e ideias que podem ser a base de seu novo império.

A seguir, apresento algumas declarações que quero que complete agora. Portanto, pare, apanhe um caderno, anote cada declaração e termine-a da forma mais honesta e conclusiva possível.

INDICADORES PARA EXPERTS:

1. Cinco coisas que aprendi sobre me estimular e atingir meus sonhos são...
2. Cinco coisas que aprendi sobre liderar outras pessoas e ser um bom membro de equipe são...
3. Cinco coisas que aprendi sobre gerenciar o dinheiro são...
4. Cinco coisas que aprendi sobre ter uma empresa bem-sucedida são...
5. Cinco coisas que aprendi sobre desenvolver uma campanha de marketing para um produto ou marca são...

6. Cinco coisas que aprendi sobre ser um bom companheiro num relacionamento íntimo são...
7. Cinco coisas que aprendi sobre espiritualidade ou me conectar com um poder mais elevado são...
8. Cinco coisas que aprendi sobre decorar uma casa/moda/organização são...
9. Cinco coisas que aprendi sobre administrar minha vida e ser eficaz são...

Sei que essa atividade pode parecer tola, e que nem todas elas são relevantes ou fáceis de completar, mas adivinhe o que simplesmente ajudei você a fazer? Você fez um *brainstorming*, possível de se aplicar em outras pessoas, em qualquer um dos nove tópicos mais lucrativos nessa indústria:

- Recomendações motivacionais.
- Recomendações de liderança.
- Recomendações financeiras.
- Recomendações de negócios.
- Recomendações de marketing.
- Recomendações de relacionamentos.
- Recomendações espirituais.
- Recomendações de estilo.
- Recomendações de produtividade.

Por favor, agora não se preocupe se esse exercício lhe pareceu difícil ou irrelevante. Estou apenas semeando algumas ideias em sua mente e, nos próximos capítulos, irei ajudar-lhe a obter um maior nível de clareza e insights.

Até agora, a questão é começar a concluir que você descobriu algumas coisas na vida, pois aprendeu algumas lições concretas e porque obteve alguns resultados. Isso faz sentido para você?

Finalmente, não se preocupe se quer ser um expert numa área em que ainda terá de obter resultados. Certamente, você desejará obter o maior número de resultados possíveis, mas isso nem sempre é um requisito. Explicarei esse conceito em seguida.

...

O expert em pesquisas

Apresento, agora, a próxima parte de minha resposta de três partes para: "Brendon, como eu poderia ser considerado um expert, e, a propósito, quem desejaria me ouvir?".

Jamais esqueça que experts são primeiramente aprendizes e que você pode pesquisar qualquer tópico e se tornar um expert na área, começando agora. Aprendi esse valor por acaso.

Enquanto cursava a faculdade, minha irmã mais nova, Helen, a quem amo do fundo do coração, estava tendo problemas num relacionamento. Ela tinha ficado noiva, e seu relacionamento começou a ficar ruim. Como éramos muito próximos, ela recorreu a meus conselhos. Isso pareceria absurdo, dado o fato de que eu era solteiro e não tivera relacionamentos propriamente satisfatórios, ao menos não a ponto de ser noivo ou casado. Aqui há uma mensagem oculta: as pessoas pedem conselhos àqueles em quem confiam. Eu, certamente, não era um especialista em relacionamentos, mas desejava desesperadamente ajudar minha irmã mais nova. Então, o que fiz?

Fiz o que sempre faço quando alguém me pede ajuda sobre qualquer tópico: fui pesquisar. Posso recordar claramente o dia em que Helen me pediu ajuda e como fui terrivelmente estabanado ao dar-lhe um conselho decente. Naquela noite, frustrado com minha própria ignorância, dirigi até a Barnes & Noble e passei quatro horas lendo tudo o que havia sobre relacionamentos. Deixei a livraria com um bloco cheio de anotações e mais de doze livros sobre o tópico. Passei a semana seguinte lendo e sintetizando tudo o que aprendera. Na outra vez que minha irmã me pediu conselhos, ela se cansou de me escutar!

Então, aconteceu algo interessante. Assim como quando compramos um carro vermelho e começamos a ver carros vermelhos em toda a parte, comecei a ouvir as pessoas falando sobre seus problemas de relacionamento. Tornei-me um especialista em relacionamentos em meu *campus*. Um dia, ajudei uma estudante que estava numa irmandade com problemas de relacionamento e, passada uma semana, ela pediu para que eu falasse para todas as suas colegas sobre o tópico. E elas me pagaram US$ 300 por essa apresentação! Estava tão nervoso no dia!

Então essas duas experiências me ensinaram sobre outro tipo de expert: o "expert em pesquisas".

Você sabia que não é necessário que você já tenha feito algo para ser considerado um expert no tema? Não precisa ser nem um "expert em resultados". Essa parece ser uma alegação bizarra, mas você já viu algum acadêmico na televisão sendo entrevistado sobre negócios? Eles nem mesmo estão na área de negócios e, provavelmente, jamais praticaram princípios de negócios, mas, como estudaram administração de empresas com afinco e conhecem as melhores práticas nos negócios, são considerados experts.

Exatamente como me tornei um especialista em relacionamentos sem jamais ter sido casado, você pode ser visto como um expert de qualquer tópico sem necessariamente ter obtido resultados nessa área. Como isso parece blasfêmia a tantas pessoas, criei uma série de perguntas bastante sólidas que muda sua perspectiva rapidamente. Apresento-as a seguir:

1. Se você tivesse dinheiro para investir em imóveis, pediria conselhos a alguém que nunca tivesse comprado uma casa ou um estabelecimento comercial?

A maioria das pessoas responderia: "Claro que não".
Então, eu pergunto:

2. Mas o que aconteceria se aquela pessoa que jamais tivera uma propriedade tivesse entrevistado em detalhes os 20 principais investidores em imóveis bilionários do mundo e compilado suas lições em um sistema de dez etapas? Você, então, a ouviria?

Naturalmente, todas as pessoas mudam de opinião e compreendem a questão. Se alguém pesquisou um determinado tópico e o decompôs para nós, nós ouviremos. E pagaremos por suas orientações. Deixe-me dar um exemplo muito conhecido de nossa "indústria de experts".

Você já leu o *Quem pensa enriquece*, famoso livro de Napoleon Hill? Se não leu, deve lê-lo. O livro diz como consolidar uma vida de abundância e tem sido considerado um dos títulos mais influentes sobre realização e riqueza da história. Gerações o têm considerado um dos livros mais importantes de suas vidas.

O que é fascinante sobre esse exemplo é que, ao que dizem, o escritor jamais foi rico sob o ponto de vista financeiro, nem jamais teve um sucesso pessoal estrondoso (certamente não antes de ter escrito o livro). Portanto, como é que ele poderia se tornar um expert e um dos escritores mais influentes da história de nossa indústria? A resposta é simples: ele pesquisou e divulgou informações sobre o tópico.

A história por trás dessa obra é que Hill entrevistou pessoas ricas, como Andrew Carnegie e seus amigos abastados. Com base nessas entrevistas, conseguiu sintetizar o que eles estavam dizendo, descobriu os nós comuns de seus diálogos e destilou as lições que aprenderam e as melhores práticas em pacotes úteis de informação, que ajudaram pessoas comuns a entenderem o tópico. As pessoas pagaram, e continuam a pagar, por este livro, pois ele pode melhorar suas vidas e eliminar anos de suas curvas de aprendizado.

Esse é o processo de um expert em pesquisas: encontre um tópico que as pessoas achem importante, pesquise-o, entreviste terceiros sobre ele, sintetize o que aprendeu e, em seguida, ofereça seus achados para que outras pessoas possam aprender e melhorar suas vidas.

Quando você entende esse ponto, uma série completa de tópicos abre-se à sua frente. É possível, literalmente, tornar-se um expert em qualquer tópico se a pessoa pesquisar suficientemente. Descobri que essa ideia era libertadora, pois você pode, efetivamente, escolher em que tópico deseja ajudar os outros e, depois, entrar no mercado e dominá-lo.

Geralmente me sinto constrangido ao dizer isso, portanto, deixe-me fazer algumas advertências e esclarecimentos. Não estou dizendo para que você saia por aí e alegue que é um expert em algo que não é. Não estou dizendo para que você exiba uma placa com o letreiro de expert sobre um tópico que casualmente pesquisou um dia no Google. Tudo o que sugiro a você neste livro é oferecido sob a presunção de que você é uma boa pessoa, age com integridade, realmente quer ajudar os outros, dedica-se à excelência e que jamais alega ser algo que não é. Acredito em trabalhar com afinco, em dominar um tópico e em servir aos outros com integridade e transparência. Tenho construído minha carreira com base nessas práticas e espero que você também faça o mesmo.

Agora, retomemos a história e nossos indicadores para experts. Pare e complete as frases.

1. Um tópico sobre o qual sempre tenho sido apaixonado é…
2. Um tópico em que gostaria de ajudar as outras pessoas é…
3. Se eu pudesse pesquisar algum tópico e ajudar as pessoas a dominá-lo, esse tópico seria…
4. A razão por que penso que as pessoas precisam de ajuda nessa área é…
5. Para começar a pesquisar mais esse tópico, eu poderia…
6. As pessoas que eu conseguiria entrevistar neste tópico são…

Essas são simplesmente declarações de partida para fazê-lo pensar. Não há respostas certas ou erradas. Aponto essas atividades para preparar sua mente para conceitos e estratégias posteriores que compartilharei com você. Portanto, não fique impressionado ou preocupado com o que você irá alegar como sua expertise neste momento.

…

O modelo de comportamento

Até aqui, tratei destes dois pontos:

Primeiro: jamais esqueça que, na estrada da vida, você precisa avançar mais do que algumas pessoas e que as lições que têm aprendido são úteis e valiosas para os outros.

Segundo: jamais esqueça que experts são primeiramente aprendizes e que você pode pesquisar qualquer tópico e se tornar um expert em alguma área, começando agora.

O primeiro ponto ilustra que todos nós seguimos experts que "estiveram lá, fizeram algo". O segundo nos lembra de que também seguimos aqueles que têm um conhecimento profundo sobre uma área, pois eles a pesquisaram mais do que nós. Apresento mais um insight a seguir.

Terceiro: jamais esqueça que as pessoas ouvem aqueles em quem confiam, respeitam, admiram e seguem; elas prestam atenção em modelos de comportamento.

Isso é óbvio, mas não pode ser exageradamente enfatizado. Se as pessoas acreditam que você é uma boa pessoa, elas lhe pedirão todos os tipos de conselhos.

Pense nisso: você algum dia já prestou atenção à recomendação de alguém muito embora soubesse que ele não era um expert? Certamente que sim. Você corta o braço e ouve sua mãe, não o médico, sobre como curá-lo. Seu amigo diz a você que o motor de seu carro estava com um barulho engraçado, então você o leva para a oficina. Um amigo pobre lhe conta sobre uma oportunidade de ouro, e você faz uma tentativa. Um vizinho, que perdeu peso, aconselha-o a comer mais legumes, e você pensa: "Vou tentar seguir sua recomendação".

Fico sempre admirado de como esse conceito surge em minha vida. Milhões de pessoas me veem na internet, na televisão, na mídia impressa e pessoalmente. Independentemente de qualquer motivo, muitas delas entram em contato direto comigo e vêm de áreas com as quais não tenho contato algum, e, de modo geral, pagam dezenas de milhares de dólares pela minha expertise.

Por exemplo, foram-me oferecidos US$ 500 mil para ajudar um homem, o qual eu não conhecia, na reestruturação de sua empresa, e não sou um especialista em reestruturação corporativa. Uma mulher me ofereceu US$ 2 mil ao mês para que lhe aplicasse *coaching* no processo de seu divórcio, apesar de eu não saber nada sobre divórcios, legislação sobre divórcio ou sobre as realidades emocionais de quem passa por esse trauma. Pagaram-me US$ 15 mil para dar uma palestra sobre liderança com a única condição de que eu teria de acrescentar algumas linhas sobre diversidade para me adequar a um tema da conferência, embora diversidade não seja minha expertise, e eu seja um rapaz branco, alto e magro de Montana, estado não exatamente conhecido como uma meca cultural ou um caldeirão de diversidades.

Embora esses exemplos sejam extraordinários, para não dizer bizarros, este tipo de coisa acontece a toda hora para as pessoas públicas que obtiveram boa reputação. Donos de empresas, oradores, escritores, celebridades, blogueiros, criadores de vídeos no YouTube, e líderes de todos os campos e de todos os setores recebem, constantemente, convites para dar seus conselhos e lhes é oferecido dinheiro pela expertise, consultoria, pelo *coaching* ou conteúdo que estão completamente fora de seus domínios de conhecimento, aptidão, experiência ou capacidade.

Por quê? Porque os indivíduos buscam recomendações de pessoas em quem confiam, respeitam, admiram e seguem. Colocado de forma mais simples, eles procuram obter informações de boas pessoas.

Pessoalmente falando, eu pagaria um bom dinheiro para conseguir assessoria em negócios do Dalai Lama, muito embora esse não seja seu campo de expertise. Ouviria atentamente qualquer palavra que Tony Robbins me dirigisse sobre qualquer tópico, ainda que ele estivesse exagerando. Se Barack Obama me dissesse para eu me mudar para a China, provavelmente seguiria sua recomendação. E, como todos os demais, ouço as pessoas que admiro.

Por que apresento agora esse ponto? Para que você aprenda que, se você for visto como um modelo de comportamento, constatará que seu *status* é um pilar incrivelmente poderoso para se posicionar como um especialista. Esse é o meu modo de lhe dizer: "Seja uma boa pessoa e ocorrerão coisas boas".

Francamente, creio que precisamos de mais modelos de comportamento na sociedade em geral. Precisamos de mais pessoas que seguem a linha da integridade, que têm compaixão e sabem servir, e acredito que o futuro pertence àqueles que vivem dessa forma. Negócios e riqueza fluem para aqueles que sabem ter uma vida honrada e que servem aos outros.

1. Uma razão pela qual as pessoas podem me admirar é porque...
2. Tenho tentado seguir uma vida honrada com base nos seguintes princípios...
3. Quando as pessoas examinam a minha vida, elas podem apontar para o fato de que tenho feito coisas boas, tais como...
4. As características que fazem de mim uma boa pessoa e que mostrarei a todos são...

...

A "trifeta do guru"

Eu tinha um plano secreto para introduzir a você os três pilares da expertise: expert em resultados, expert em pesquisas e modelo de comportamento.

Agora que você já os conhece, quero que os construa de maneira consciente, estratégica e ativa pelo resto de sua vida sobre qualquer tópico com o qual deseja ajudar os outros. Quando todos esses pilares estiverem sólidos e alinhados, você terá atingido um nível de expertise e confiança que o fará incrivelmente respeitado e, também, muito procurado.

Em minha atividade, estou sempre tentando pesquisar meus tópicos com mais profundidade, visando atingir mais resultados nas áreas em que oriento, e me esforçando para ser um bom modelo de comportamento para aqueles a quem sirvo. Trabalho arduamente nisso e trata-se de algo que está sempre na minha mente. Acredito que fazer essas coisas tem sido o segredo de meu sucesso. Uma porção de experts e gurus no mercado para de aprender e aplicar e, assim, para de oferecer as melhores recomendações para as pessoas, começando a ver a queda de seus negócios.

Sempre faço estas perguntas aos experts diligentes que conheço: você pesquisou com afinco o tópico em que queria ajudar os outros a aprender ou dominar? Você já leu pelo menos seis livros sobre o tópico no último ano? Você entrevistou pelo menos dez outros especialistas sobre o tópico? Você aplicou as lições aprendidas e obteve resultados significativos? Você tem uma vida honrada que as pessoas admirarão e terão como modelo?

Quando você combina pesquisadores, fomentadores de resultados e modelos de comportamento, tem uma mágica que transcende o termo expert e o eleva a um nível de conselheiro confiável. As pessoas começam a pensar em você como um guru em seu tópico (no sentido positivo da palavra, tornando-o alguém que dissemine luz e sabedoria). Repentinamente, as pessoas começam a lhe pedir conselhos e, assim, você tem um legítimo negócio servindo aos outros com seu conhecimento, expertise e recomendações.

Como você pode ter um negócio real fazendo isso? Como os pesquisadores, fomentadores de resultados e modelos de comportamento efetivamente ganham dinheiro com suas informações? Cobriremos esse ponto no próximo capítulo.

•••

CAPÍTULO 5

Nove etapas
até a criação do império do expert

Agora que você já sabe que pode adquirir expertise se obtiver resultados em qualquer área, pesquisar seu tópico e for um modelo de comportamento, vamos focar na tática. Como você transmite sua mensagem ao mundo e o que experts e gurus efetivamente fazem para construir seus impérios? As respostas são surpreendentemente simples.

Resulta que praticamente qualquer expert empreendedor e mensageiro milionário, aqueles que têm realmente tocado milhões de pessoas e ganhado quantias milionárias, seguem o mesmo plano de jogo. Este capítulo apresenta esse plano em nove etapas e funcionará como sua lista de tarefas e plataforma de lançamento.

...

Etapa 1
Escolha e domine seu tópico

Tão direta como pode soar essa primeira etapa, eu queria ganhar um dólar todas as vezes que alguém me perguntasse: "Brendon, em que tópico eu devo ser um expert?".

Essa pergunta é bastante reveladora sobre nossa comunidade e seus membros. Na condição de uma indústria, mostra que as pessoas geralmente (e acuradamente) acreditam que podem aprender e ganhar expertise rapidamente. Elas parecem dizer: "Diga-me no que devo ser um expert, e eu tornarei isso uma realidade". Essa mentalidade é especialmente prevalente nos Estados Unidos, em que um ensino de qualidade nos educou e nos habilitou a, essencialmente, escolhermos nossa carreira.

Quanto às pessoas que me fazem esta pergunta, elas são genuinamente criativas e isso indica que se interessam por múltiplos tópicos ou têm muitas paixões. A maior parte dos especialistas que conheço é de experts em vários tópicos, pois suas mentes e corações ficam intrigados com muitas coisas neste mundo. A curiosidade não mata a criatividade, ela faz o criativo sentir-se mais vivo. Você, também, poderia se tornar um expert em vários campos. Pessoalmente, tornei-me um expert não apenas pela excelência na indústria de experts, mas também pela liderança, motivação, alta performance, resolução de conflitos, mediação, por parcerias promocionais, patrocínios corporativos, captação de fundos sem fins lucrativos, oratória profissional, desenvolvimento organizacional e marketing on-line. Tenho marcas com valor superior a um US$ 1 milhão em muitos desses nichos. Embora para algumas pessoas isso pareça um feito inatingível ou exaustivo, para os criativos é uma ótima oportunidade para aprender e continuar os estudos, além de que o desejo de dominar o mundo tem nos ajudado a obter uma ótima expertise em vários tópicos.

No entanto, é possível descobrir, posteriormente neste livro, que tentar ser um expert que cubra um grande espectro desde o início é, e sempre será, uma má estratégia. Se você for construir um império verdadeiro, deverá selecionar um tópico, aprendê-lo, dominá-lo, compartilhá-lo, ficar conhecido por isso e ganhar dinheiro nessa orientação. Depois, você terá um alicerce verdadeiro no qual se basear e, somente então, começará a se posicionar como expert em outros tópicos. Sim, é isso mesmo: escolha um tópico que o faça ser famoso, desenvolva um legítimo negócio em torno dele e o amplie em seguida. Posso compartilhar com base em minha experiência profissional e por trabalhar com milhares de alunos e dezenas dos especialistas mais comprometidos e financeiramente bem-sucedidos que esta é a estratégia correta para os novatos: no início, focalize em um tópico.

Desse modo, em qual tópico você conquistará admiração como expert? Como deve se lembrar, você é ou pode se tornar um expert em qualquer tópico quando obtiver resultados, fizer pesquisas e servir como modelo de comportamento. Portanto, qual será? Qual é o seu tópico?

Sei que essas perguntas são dolorosas, pois evidenciam a única palavra que todas as pessoas genuinamente criativas detestam escutar: foque! Deixe-me assisti-lo se está tendo dificuldades para escolher seu tópico, vou lhe fornecer algumas categorias.

Primeiro, escolha orientar outras pessoas num tópico que você já ache fascinante e sobre o qual goste de aprender. Se você sempre se pega comprando e lendo livros sobre liderança, aí está uma dica de que liderança pode ser seu tópico. Se você está sempre perguntando às mães o que elas aprenderam sobre um bom aconselhamento familiar, temos também outra dica. Se você tem dezenas de audiobooks sobre marketing e vendas em sua estante, você já adora marketing e vendas, então, por que não ajudar os outros a aprenderem o que aprendeu?

Segundo, escolha um tópico com base em algo que você já adora fazer. Se você examina seus últimos cinco anos e observa que simplesmente adora comprar e vender casas executadas por hipotecas, já está escolhendo seu tópico. Em qual atividade você adora atuar, quais são suas paixões neste momento? Esses são grandes pontos de partida para o processo de selecionar um tópico. Talvez, a exemplo de Lorie Merrero, você goste de organizar sua casa e a de seus amigos, de modo que pode se tornar um especialista em organização domiciliar. Ou como Roger Love, você pode gostar de cantar e ajudar outros a cantar, de modo que pode se tornar um "*coach* vocal".

Terceiro, pense sobre o que você sempre quis aprender. Em todos os campos, os experts começam como aprendizes. Os melhores médicos do mundo, por exemplo, não eram doutores especializados no início das carreiras. Antes, foram estudantes, depois clínicos gerais e, em seguida, especialistas. A parte prazerosa da indústria de recomendações práticas e úteis é que você pode ser tornar um expert em qualquer tópico, o que significa que é possível se reinventar a qualquer hora. Você define os termos de sua carreira e seleciona o trabalho e o tópico de seu trabalho. Considero isso incrivelmente habilitador. Assim, sobre o que você adoraria aprender e, depois de obter resultados, pesquisar bastante e se tornar um modelo de comportamento, entrar no mercado e ensinar aos outros?

Quarto, considere o que você passou na vida. Você já teve um divisor de águas, um triunfo ou uma tragédia que o fez pensar: "Uau, sobrevivi a algo importante, e agora quero passar isso aos outros de modo que possam minimizar seus sofrimentos"? Você teve experiências pessoais ou no trabalho que lhe forneceram uma história peculiar, uma série de habilidades ou uma perspectiva que gostaria de compartilhar? Às vezes, o meio mais simples de descobrir indicações para o que você deveria fazer no presente ou futuro é olhar os marcos de seu passado. Decidi transformar meu acidente de carro e a transformação de minha vida em inspiração fundamental para o meu trabalho e para o meu interesse e expertise no potencial humano.

Finalmente, selecione um tópico sobre o qual deseja falar, viver e respirar, no mínimo, pelos próximos cinco anos. Não consigo estimar a importância disso. Certa vez, uma mulher levantou da plateia em um de meus seminários e, chorando, disse que detestava o buraco que cavara para ela própria em sua carreira de especialista. Ela revelou que um determinado guru de marketing tinha lhe dito que, desde que um membro de sua família tinha cometido suicídio, esse era seu chamado para ajudar as pessoas e evitar que cometessem suicídio. Assim, essa pobre mulher viajou pelo país ministrando palestras sobre suicídio para jovens durante anos, ao mesmo tempo em que tinha de recontar e reviver a história do suicídio de sua irmã mais nova. Passado algum tempo, ela era uma expert reconhecida, mas detestava o tópico que escolhera, embora ele fizesse diferença na vida das pessoas. A moral da história é escolher inteligentemente seu tópico. Você o pesquisará, lerá livros, escreverá artigos e postagens em blogues, fará vídeos e compartilhará sua mensagem por vários anos. Portanto, opte por um tópico que você absolutamente ame.

1. Os tópicos que sempre tenho estudado e pelos quais sou fascinado em minha vida são...

2. As coisas que adoro fazer em minha vida são...

3. Algo que sempre queria explorar e aprender mais é...

4. Eventos pelos quais passei em minha vida que podem inspirar pessoas, ou orientá-las sobre como ter uma vida melhor, ou desenvolver um bom negócio incluem as oportunidades quando tive que...

5. Baseado nessas ideias, os tópicos nos quais gostaria de obter expertise e fazer uma carreira ajudando os outros são...

6. O tópico no qual eu desejaria iniciar e construir uma carreira genuína e um negócio seria...

...

Etapa 2
Selecione sua audiência

Muitos profissionais de marketing em nossa comunidade leriam minha primeira etapa e afirmariam que eu entendera tudo errado. Eles diriam: "Selecione sua audiência primeiro, não seu tópico. Encontre uma base de clientes e descubra o que eles desejam, não o que você quer dar ou ensinar para eles e, em seguida, sirva-os com o que eles querem". Concordo com isso até certo ponto. Porém, aprendi que esse é, em geral, um dilema semelhante ao "quem nasceu primeiro, o ovo ou a galinha?" para a maior parte dos experts em atividade. Na há exatamente uma opção correta, de modo que iniciar com a etapa 1 (escolha seu tópico) ou com a etapa 2 (selecione sua audiência) é um tanto irrelevante.

O que é relevante agora é que você deve, definitivamente, decidir a quem deseja servir em sua nova carreira. Você quer ajudar jovens, pais, mulheres, homens, aposentados, empresas, organizações sem fins lucrativos, empreendedores? Quem, exatamente, é seu público-alvo? Assim que tiver algum dado demográfico em mente, analise com mais profundidade outro nível e considere a idade ideal de seu público, incluindo o que eles passaram na vida, que tipo de personalidade têm e no que trabalham. A melhor prática é estreitar seu público a um tipo reconhecível de pessoa.

Dito isso, deixe que eu me refira a uma provável pergunta: "Brendon, eu simplesmente tenho uma mensagem importante e ela pode ajudar todas as pessoas do mundo. Devo, efetivamente, definir e limitar o meu público?". A essa pergunta, normalmente replico: "Sim, você deve. É admirável que sua mensagem possa ajudar tantas pessoas, e acredito que ela pode ajudar a maioria delas, mas o problema é que você não tem o tempo nem os recursos necessários para divulgá-la a todos, mesmo que todas as pessoas precisem de seus ensinamentos. Você tem de escolher uma audiência, não apenas porque é provável que somente uma faixa estreita de pessoas realmente precise e compre sua mensagem, mas também porque você deve criar promoções efetivas e realistas. Não é possível anunciar ou divulgar para o mundo inteiro, então, selecione um grupo e um tipo de pessoa com os quais deve iniciar.

Selecionar um público é semelhante a selecionar seu tópico pelo fato de que você quer encontrar pessoas que sejam parecidas com você. Quem é entusiasmado com os mesmos tópicos que você? Quem quer aprender as mesmas coisas que você faz? Quem passou por problemas similares na vida aos que você teve? Há mais perguntas para serem consideradas a seguir.

1. O público que mais se beneficiaria com o treinamento sobre um tópico como o meu é...

2. O público que pagaria mais por treinamento sobre um tópico como o meu é...

3. As pessoas que sabem pouco sobre meu tópico incluem...

4. As pessoas que precisam de instruções sobre o meu tópico geralmente pertencem a organizações como...

...

Etapa 3
Descubra os problemas de sua audiência

Todos os experts são primeiramente aprendizes e servidores, de modo que você deve estudar sua audiência, descobrir suas necessidades e servi-la com conselhos e informações práticas e úteis que possam resolver seus problemas e melhorar suas vidas.

Na Experts Academy, compartilho dezenas de meios para que se conheçam os comportamentos de compra e as necessidades de sua audiência. No entanto, agora, quero dividir com você o que chamo de minha "fórmula de insights do cliente". Essa fórmula compreende quatro perguntas simples com as quais gosto de começar minhas reuniões ou quando pesquiso meu público ideal, para que possa entendê-lo e servi-lo melhor. Apresento, a seguir, algumas perguntas que você pode fazer ao seu público de modo a aprender mais sobre o que eles necessitam de você:

• O que é que você está tentando cumprir neste ano?

• O que você acredita que demandaria para dobrar seu negócio (ou sua felicidade) neste ano?

- O que mais lhe frustra sobre seu negócio ou sua vida neste momento?

- O que você já tentou fazer para melhorar sua situação, e o que funcionou ou não?

As respostas a essas perguntas ajudam-me a entender as ambições, necessidades, frustrações e preferências de aprendizado de meus clientes.

Em geral, quanto mais você entende seu público, e seus problemas e ambições mais prementes, mais é capaz de criar informações direcionadas práticas e úteis para a solução de problemas que eles comprarão e consumirão. Quanto mais você conhece de que seu público necessita, mais pode dar a ele informações que melhor em sua vida.

Apresento, a seguir, mais perguntas que irão ajudá-lo a imaginar a vida de seus clientes e como poderá servi-los.

INDICADORES PARA EXPERTS:

1. Meu público geralmente sonha em atingir...

2. Meu público receia não conhecer suficientemente bem...

3. Meu público geralmente busca e procura no Google frases como...

4. Meu público gosta de seguir determinados tipos de pessoas e organizações na mídia ou nas redes sociais:...

5. Meu público detesta ter de fazer coisas como...

6. Meu público, geralmente, paga bem por...

7. Se eu der a meu público qualquer informação que ajude a melhorar sua vida, ele provavelmente desejará estratégias detalhadas sobre...

8. As etapas que meu público, geralmente, esquece quando tenta atingir suas metas...

9. Com base nessas ideias, algumas informações práticas e úteis que eu poderia fornecer a meu público, e que o faria ficar muito feliz, seria incluir estratégias detalhadas sobre...

...

Etapa 4
Defina sua história

Faço a todos os meus clientes uma pergunta direta, porém significativa: "Qual é a história de dificuldade de seu passado em que você lutou arduamente e que é similar ao que seu público está passando agora e que poderia lhe ser exemplar? Essa história é, de modo geral, a peça central para trazer credibilidade, ainda mais do que níveis fantasiosos ou uma vida plena de sucesso em seu tópico ou setor.

Estranhamente, temos a tendência de nos identificar mais com as dificuldades do que com os êxitos. Assim, temos de procurar por pontos de entrosamento definidos por uma experiência comum de desafios, para que seja possível conectarmo-nos com nossas audiências. Em outras palavras, seu público quer saber se você já passou pelo que eles passaram.

Esse ponto geralmente confunde os experts dos países ocidentais. Por exemplo, nos Estados Unidos nossa cultura ensinou a nos gabarmos de todas as nossas realizações para que ganhemos credibilidade. Espera-se que apresentemos nossa lista de diplomas, certificados, feitos, associações em clubes e qualquer realização ou afiliação que possam nos tornar dignos de uma boa reputação. Por causa disso, com frequência, muitos especialistas começarão a falar sobre suas biografias ou promoções, gabando-se de como são extremamente poderosos e talentosos. Porém, deixe-me fazer uma pergunta: você já teve contato com alguém que simplesmente se gabou da ótima pessoa que é? Conseguiu se identificar com ela? Quis conversar com essa pessoa? Provavelmente, não.

De modo geral, as pessoas se identificam inicialmente com os profissionais da indústria de experts com base em nosso histórico de desafios;

após essa fase, em que acreditam em quem você é e nas coisas pelas quais passou, elas se interessam pelo que sabemos e conseguimos realizar.

O público que ouve sobre você e sua carreira de especialista fica imaginando: "Quem é essa pessoa? Pelo que ela passou, o que superou, o que descobriu, em que obteve sucesso? Com base em todos esses dados, o que ela pode ensinar que ajudará a melhorar minha vida?".

Observe a ordem dessas perguntas, que eu concluí que são muito úteis e poderosas. As pessoas querem saber, nesta sequência:

1. Quem é você e pelo que passou na vida que possa ser parecido com minha própria experiência?

2. O que você superou e como?

3. O que você descobriu ao longo de sua trajetória?

4. Em que você obteve sucesso e que resultados atingiu?

5. O que você me ensinará que pode ser aplicável agora para melhorar a minha vida?

Como essas são as perguntas que todas as pessoas fazem quando ouvem falar de qualquer especialista, é preciso que você se prepare para respondê-las. Então, deve abordá-las em todos os canais de comunicação que enviar para potenciais clientes ou pessoas do público. A extensão de suas respostas não é tão importante como a necessidade de abrir seu coração e mostrar sinceridade, para que você brilhe em tudo que diz e faz.

INDICADORES PARA EXPERTS:

1. Uma história de desafio de meu passado com que meu público talvez se identifique é...

2. Algo que superei em minha vida e que talvez possa levar a outras pessoas como um ponto de conexão ou inspiração é...

3. As principais lições que tenho aprendido em minha jornada são...

4. As realizações e afiliações que aumentam ainda mais minha credibilidade são...

5. As lições que posso ensinar às pessoas e que serão proveitosas em minha área de atuação e em suas vidas são...

...

Etapa 5
Crie uma solução

Agora que você começou a pensar em um tópico, um público-alvo e uma história de credibilidade pessoal, é hora de criar um produto ou programa, uma solução que as pessoas possam seguir (e comprar) para orientá-las a chegar onde pretendem.

Esse é o ponto em que a maior parte das pessoas fracassa em nosso setor. Todos querem fazer a diferença e ganhar dinheiro como expert e guru de recomendações, mas poucas pessoas terão, um dia, o trabalho de sentar e criar um programa ou sistema prático e útil que pode ser oferecido e vendido ao seu público. Elas jamais escrevem um livro, articulam um discurso, criam um seminário, montam um programa de *coaching* ou filmam os vídeos para seus cursos de treinamento on-line.

De certo modo, muitas pessoas nunca criam esses programas, pois simplesmente não sabem de que ponto começar, ou ficam assustadas pelos maus conselhos de nossa indústria (e há uma porção deles).

No entanto, facilitarei as coisas para você. Para começar, é preciso escolher como gostaria que seus clientes recebessem suas informações. Há apenas cinco modos, ou modalidades, de as pessoas aprenderem com você. Se você conhecer essas modalidades, estará apto a pensar como gostaria de transmitir suas informações às pessoas.

O primeiro modo pelo qual as pessoas podem consumir suas informações é lendo-as. Isso significa que você pode criar soluções escritas práticas e úteis, como livros, e-books, materiais didáticos, artigos, newsletters, postagens em blogues, manuais de instrução.

Segundo modo: seu público pode querer ouvir suas informações, o que pode levá-lo a criar CDs, mídias de MP3, séries de audioconferências ou ligações telefônicas pessoais.

Terceiro modo: as pessoas podem querer assistir às suas informações na televisão, no computador ou em dispositivos móveis. Isso significa que você pode criar programas em DVD para estudo domiciliar, vídeos on-line e *webinars* e aplicativos de vídeo para dispositivos móveis.

Quarto modo: seus admiradores e clientes podem querer receber suas informações pessoalmente, o que o levaria a criar eventos ao vivo como seminários, workshops, retiros, aventuras e exposições.

O quinto modo: uma parte de seu público sempre desejará dominar suas informações e obter um maior grau de acesso e treinamento. Para servi-los, é possível criar programas planejados exclusivos, serviços de *coaching* e programas de tutoria.

Esses são os modos pelos quais as pessoas podem consumir suas informações; elas desejarão lê-las, ouvi-las, observá-las, vivenciá-las ou dominá-las durante um maior período de tempo. Muitas delas desejarão fazer uso de todas as formas, de modo que é de sua competência decidir em que modalidade gostaria de ensinar e em que modalidade, ou modalidades, gostaria de se inserir para gerar sua solução. Em geral, vale a pena saber também que, quanto mais avançamos nessa série de modalidades, desde a leitura até o domínio, mais pessoas associam valor a ela e mais você pode cobrar. Por exemplo, as pessoas veem um livro como um item menos valioso que um seminário de três dias e, portanto, estão dispostas a pagar menos por ele.

No entanto, o problema principal é que você deve gerar um programa de venda de modo a servir aos clientes e ganhar dinheiro nessa indústria. Milhares de pessoas desejarão comprar suas ideias e seus conselhos. Como você é único, gerar uma solução que elas podem acessar e comprar é crítico para o seu sucesso e para perpetuar sua mensagem.

Assim, que tipo de solução você gostaria de criar primeiramente para seu público? Um livro? Um podcast? Um programa de treinamento em vídeo? Um evento de treinamento ao vivo? Um programa de *coaching*? Não há uma resposta correta ou errada, mas é absolutamente decisivo que você escolha um tipo e crie algo para vender às pessoas.

Se qualquer uma dessas tarefas lhe parece assustadora, não se preocupe. No próximo capítulo, exibirei um plano multimilionário simples que combina efetivamente essas modalidades e não exige que você venda dezenas de milhares de produtos para obter uma renda significativa.

A próxima etapa na criação de sua solução é, evidentemente, criar o conteúdo que acompanhará seus produtos ou programas. Esse é um dos tópicos mais populares na Experts Academy: como criar ótimas informações e treinamentos práticos e úteis. Os fundamentos de minha abordagem são: descobrir o que sua audiência necessita saber para que migre de um ponto a outro ponto em suas vidas e o enfoque ou passo a passo que as pessoas teriam de empreender para atingir suas metas. Comece a pensar nisso e descobrirá parte de seu conteúdo e o modo como organizá-lo. A partir desse ponto, você analisará detalhadamente cada etapa e compartilhará exemplos, obstáculos comuns e segredos de sucesso. Você, essencialmente, vai gerar uma solução prática e útil que as pessoas poderão seguir até obterem sucesso. Esse é um processo de criação de conteúdo especializado de alto nível.

INDICADORES PARA EXPERTS:

1. Quando meus clientes buscam minha informação, provavelmente desejarão fazê-lo através das seguintes modalidades... (leitura, audição, observação, experimentação ou domínio?)

2. A modalidade na qual eu preferiria focar envolve essencialmente... (escrita, áudio, apresentação em vídeo, treinamento num evento ao vivo, ou *coaching* durante um período de tempo)...

3. Com base nessas ideias, imagino que o primeiro produto ou programa prático e útil que criarei para o meu público será...

4. Para obter resultados, meus clientes precisarão de informações práticas e úteis que os ajudem a se mover de um ponto, bem no início, a outro ponto, até chegarem a seus destinos. Os passos que terão que empreender nessa jornada são...

5. Quando meus clientes derem esses passos, terão de se lembrar de...

6. Os erros comuns que as pessoas cometem ao dar esses passos são...

7. Uma descrição para a minha solução prática, e que é útil para meus clientes, poderia ser a seguinte: (crie uma descrição para seu novo produto ou programa agora!)

...

Etapa 6
Monte um site

Agora que você tem uma mensagem, um público-alvo, uma história e uma solução, é hora de entrar no mundo digital e começar a cultivar, monitorar e consolidar um negócio que promova seus programas e recomendações práticas e úteis.

Graças à tecnologia moderna, criar um site razoável é mais uma possibilidade de se comunicar com qualquer pessoa munida de um computador. Minha função, agora, não é lhe dizer que você precisa ter um site; você já sabe disso. Não é também lhe dizer como criar um site. Há muitas ferramentas grátis de construção de sites no mercado, bem como web designers de baixo custo no www.elance.com.

Permita-me agora compartilhar três coisas que seu site deve fazer para consolidar seu império.

Primeiro, seu site deve agregar valor. Isso não deveria ser algo que exige muita habilidade na sociedade de hoje, mas a verdade é outra. A questão de se ter um site especialista é fornecer informações valiosas para aqueles que precisam delas. Mas, se as pessoas visitam seu site e não veem nada lá, exceto meditações aleatórias sobre a vida, leem suas postagens no Twitter sobre levar o cachorro para passear ou a exibição de uma lista completa de seus serviços e preços, então você não está agregando valor e, rapidamente, ficará arruinado financeiramente.

O que os consumidores esperam de um expert e de um site tem mudado significativamente nos últimos cinco anos. Hoje, os visitantes de um site querem ver postagens de blogues, artigos e vídeos que agreguem valor às suas vidas. Eles não querem ver você se gabar sobre quem você é, descrever longamente quanto cobra ou explicar o que está fazendo na vida pessoal. Querem conteúdo e treinamento, e é sua função dar isso a eles em seu site, gratuitamente, para consolidar o entrosamento. Esta é a primeira regra de todos os negócios: agregue valor.

Segundo, seu site deve capturar *leads*[3]. Se seu site está agregando valor às pessoas, então o mundo começará a disseminá-lo e logo você terá tráfego nele. Nesse ponto, deve acontecer uma coisa: você deve capturar os nomes e e-mails de seus visitantes. É possível fazer isso oferecendo recursos ou treinamentos gratuitos em troca de seus nomes e e-mails. Você já sabe como isso funciona: "Assine nossa newsletter e receberá instantaneamente…"

A captura de *leads* é uma das melhores práticas críticas, pois o tamanho de sua lista de newsletters em nossa indústria é quase sempre diretamente proporcional à sua renda e sua influência. Obviamente, quando você tem informação de contatos de clientes, é possível continuar a vender-lhes sem ônus, aprofundar seus relacionamentos e, sim, oferecer-lhes produtos e programas para compra. Quanto mais admiradores, seguidores e assinantes você tem, mais dinheiro ganha, o que nos leva ao próximo ponto.

---

[3] O *lead*, no jargão de marketing, é, em linhas gerais, um contato (nome e e-mail de uma pessoa) com grande potencial para fazer negócios de qualquer natureza no futuro (N. T.).

Terceiro, seu site deve render dinheiro! É uma coisa que não exige muita habilidade, mas fico chocado em ver como é tão reduzido o número de experts que têm um site que efetivamente exiba e venda seus programas práticos e úteis. Em sua homepage, é preciso apresentar seus produtos mais recentes à venda, e quando um consumidor clica no link para aprender mais, deve ter uma estratégia efetiva de marketing que os oriente até a compra. Básico, correto? Mas, qual o grau de eficiência que seu site tem no momento, em termos de render dinheiro e de ter um impacto em suas vendas?

A maioria das pessoas diz que seus sites têm uma péssima performance na elaboração desses três itens. Essa é a razão pela qual criei a estrutura Homepage ATM para que os experts mostrem a seus designers. Em um dos vídeos gratuitos que você recebe quando opta pelo cadastramento no www.expertsacademy.com, você e seu web designer aprenderão a criar um site efetivo que rende dinheiro mesmo enquanto você dorme. A ideia básica é seguir as estratégias na etapa a seguir.

INDICADORES PARA EXPERTS:

1. Se eu fosse desenhar meu site ideal, o valor e a informação que gostaria de oferecer a meus visitantes seriam coisas como...

2. O principal item que as pessoas gostariam de aprender ao visitar meu site é...

3. O bônus que eu poderia oferecer a meus clientes em troca de suas informações de contato é...

4. Os produtos e programas que desejo que meus clientes conheçam e comprem são...

...

Etapa 7
Elabore uma campanha sobre seus produtos e programas

Quando seu site estiver pronto e o mundo puder perceber seu valor e comprar seus produtos, é tempo de atrair pessoas com artigos gratuitos e, depois, definitivamente, oferecer algo para venda.

Prefiro utilizar a palavra "fazer uma campanha" nessa etapa em vez de "promover", pois uma campanha de valor agregado é fundamentalmente diferente de uma "promoção".

Uma promoção é uma peça singular de marketing ou uma série de pontos de contato com um cliente; pode ser um e-mail, cartão ou folhetos promocionais, que, essencialmente, contenham os dizeres: "Ei, compre meu produto!". Se isso não funciona, eles são enviados várias vezes até que o cliente enlouqueça.

Uma campanha de valor agregado, no entanto, é diferente e, absolutamente, a melhor prática de nossa indústria. Definindo termos, uma campanha é uma sequência estratégica de promoções que leva a um comportamento desejado do cliente. Numa campanha de valor agregado típica de nosso setor, envia-se uma série de comunicados estratégicos aos clientes que servem a eles com um ótimo conteúdo. Esses primeiros envios são grátis, e, no último comunicado da série, dizemos: "Ei, se você gostou do treinamento gratuito que acabei de lhe enviar, adorará meu novo programa (insira aqui o nome de seu produto)".

Esse método de marketing é comprovado em nosso setor. Ao fornecer valor real aos clientes, antes de pedir por uma venda, criamos o tipo de confiança, valor e reciprocidade que os ajuda a se sentirem confortáveis ao comprar nossos produtos ou programas.

Como exemplo, em minha última iniciativa vultosa de marketing on-line, que gerou mais de US$ 2 milhões em apenas dez dias, enviei três valiosos vídeos de treinamento e, então, meu quarto vídeo continha a legenda: "Se você gostou de meus vídeos, apresento, agora, alguns detalhes de meu novo programa que o ajudará a... Visite meu site, inscreva-se na minha lista e você verá como faço isso ". É mais simples do que a maioria das pessoas pensa.

Embora tudo isso possa parecer muito técnico, e seja comumente assustador para os recém-chegados no setor, anime-se: o marketing é realmente fácil, como dizem nos dias de hoje. Envie informações apropriadas que melhoram a vida das pessoas e depois diga: "Ei, se você gostou dessas, gostará desta...". Em poucas palavras, é isso. O fator crítico de sucesso é certificar-se de que suas informações são realmente valiosas e úteis. Nem é necessário dizer que, se seu conteúdo gratuito não tem valor, os consumidores não desejarão comprar os novos produtos sugeridos.

Certamente, como parte de sua campanha, é preciso efetivamente comunicar por que seus consumidores devem acreditar e comprar de você. Você deve cobrir todos os fundamentos básicos de marketing e gerar entrosamento, descrever efetivamente os pontos difíceis dos clientes e mostrar como superá-los, compartilhar sua credibilidade, relatar aos clientes os benefícios de suas soluções, mostrar testemunhos de pessoas que tiveram sucesso por seguir suas recomendações e oferecer um bom preço e uma garantia. Constatei que a maior parte das pessoas tem desempenho muito ruim na formulação dessa etapa, e essa é a razão porque estruturei meu seminário de certa maneira. Não há nenhum programa que aborde mais detalhes sobre essas informações práticas e úteis de marketing do que o da Experts Academy. Pela limitação do espaço deste livro, não darei um curso integral sobre os fundamentos do marketing; no entanto, para ajudá-lo a começar, foquei no que você pode pensar em desenvolver, isto é, uma campanha e como explicar o valor de suas informações e programas.

Mais um ponto sobre campanhas: você jamais deverá parar de fazer campanhas. Como um mensageiro numa missão, você sabe que sua meta é entregar a mensagem ao destinatário da forma mais rápida possível. Se isso é verdade, deve preparar campanhas que, automaticamente e sempre, corram para o seu site. Você deve fazer tudo o que é possível estratégica, diligente e consistentemente para transmitir sua mensagem ao mundo.

1. De modo a agregar valor às pessoas antes de vender para elas, posso enviar-lhes alguns textos com conteúdo gratuito como...

2. O primeiro produto que desejo divulgar a meus clientes é...

3. A razão por que as pessoas devem comprar este produto é porque ele as ajuda a...

4. Este produto, definitivamente, confere aos clientes os seguintes benefícios em suas vidas:...

5. A razão por que esse produto difere dos demais produtos do mercado é que...

6. As razões que me dizem que este produto consegue resultados para as pessoas são...

7. A razão pela qual o preço-base deste produto é fantástico é...

8. Para pagar a faixa de preço desse produto, as pessoas devem crer que...

9. A razão pela qual as pessoas devem comprar este programa agora é...

...

Etapa 8
Consiga parceiros promocionais

Até este momento, você conseguirá transmitir sua mensagem ao mundo por conta própria. Essa é a razão por que é importante começar a buscar outros especialistas na comunidade que tenham públicos que possam estar interessados em seus tópicos e treinamentos. Se arregimentar esses especialistas de modo a promover sua mensagem para a base deles de fãs, seguidores e assinantes, então você, imediatamente, amplificará sua mensagem e seus ganhos.

Sempre me surpreendo ao ver como há pouquíssimas pessoas que fazem isso de maneira propositada e estratégica. Já encontrei milhares de pessoas com mensagens importantes, histórias e informações práticas e úteis que nunca consideraram a ideia de obter um parceiro ou líder nessa indústria para promovê-los. Acredito que todos ainda esperam, algum dia, as batidinhas da Oprah com sua varinha mágica.

No meu caso, estou sempre participando de congressos, redes sociais, pesquisas e buscas de novos parceiros que possam me ajudar a atingir mais pessoas com minha mensagem. Constantemente, envio e-mails e telefono aleatoriamente a gurus de vários setores oferecendo-me para entrevistá-los para o meu público, ajudando-os com suas iniciativas de marketing on-line ou perguntando-lhes como poderia ser útil. Sigo essa convicção: dê e você recebe. Acredito que, se agrego valor para outras pessoas em meu setor, elas me retribuirão de alguma forma, algum dia.

Nada serve mais à sua mensagem do que ter outras pessoas promovendo-a, mais adiante, e de forma mais disseminada do que você poderia fazer sozinho. Portanto, procure ter parceiros promocionais. Geralmente, se você deseja agregar valor e promover as mensagens dos outros, muitos deles estarão dispostos a retribuir.

Essa atividade começa com pesquisas básicas on-line. Quem são os outros experts na área de seu tópico? Um modo rápido de descobrir isso é entrar no Google com palavras-chave específicas referentes a seu tópico. Outro modo inteligente de fazer isso é acessar um site de agência de oradores (palestrantes). Apenas clique no Google "*bureau* de oradores" e verá quem mais está ministrando palestras sobre seu tópico. O melhor meio de aprender e conhecer outras pessoas é frequentar congressos sobre o setor de experts, congressos com material escrito, seminários com palestrantes... Assim que você tiver um entendimento de quem mais está orientando, é hora de pesquisar e entender o que os outros estão oferecendo às suas audiências, qual o tamanho delas, que produtos vendem, quais suas prioridades e valores. A maior parte desses dados é facilmente encontrada em seus sites.

A partir daí, você tem o que precisa para entrar em contato com outros experts. Cobrirei tudo isso com mais detalhes posteriormente.

Seu objetivo ao trabalhar com parceiros promocionais é sempre ter uma oportunidade de compartilhar suas informações com suas audiências. Você deseja que eles o entrevistem num telesseminário ou que conduzam um *webinar* com a sua presença, promovam um relatório ou vídeo on-line que você tenha postado, ou direcionem seus seguidores para as postagens de seu blogue. Você quer que eles o exponham. Seu segundo objetivo é transformar essa exposição em rendimento ao oferecer àquele público algo para venda. Isso é denominado programa de afiliação e discutirei esse ponto adiante no livro.

Como observação final, há uma razão para que essa etapa siga as outras em nosso programa de nove etapas. Não saia por aí tentando fazer com que as pessoas promovam sua mensagem, a menos que você tenha percorrido com sucesso as oito etapas anteriores. É loucura pedir a alguém que o promova se você não conhece seu tópico, público e história, ou se não tem um produto, site ou sequência de campanhas já criadas e testadas. Francamente, você não desejaria que alguém o promovesse até que providenciasse tudo isso, mesmo se lhe fosse oferecido. Eu, efetivamente, tenho diversos clientes que participaram do programa da Oprah e que estão, literalmente, quebrados. Conseguiram seus 15 minutos de fama com a melhor parceira promocional da história, mas não tiveram a infraestrutura de apoio e se dispersaram a fim de monetarizar a atenção. Isso ocorre todo o tempo. Considere-se avisado e não deixe que isso ocorra com você. Construa algo real primeiro; depois, peça aos outros para ajudá-lo a consolidar seu negócio ainda mais. Cobriremos mais sobre parcerias nos capítulos subsequentes. Por enquanto, apenas perceba que é decisivo começar a procura por parceiros promocionais para que não se esqueça de completar os indicadores a seguir.

1. Outros experts que orientam em meu tópico incluem... (Sugiro expressamente fazer uma planilha com todas essas informações.)

2. O tamanho do público que eles têm no Twitter e no Facebook é...

3. Os produtos que ofertam para venda em seus sites são...

4. Os preços-base que ofertam, geralmente, a seus públicos são...

5. Os valores que parecem orientar a vida dessa pessoa são...

6. As frases comuns que essa pessoa utiliza são...

7. As prioridades dessa pessoa parecem ser...

8. As informações que tenho é que o que seus públicos, provavelmente, valorizariam é...

...

Etapa 9
Repita e consolide o negócio baseado na distinção, excelência e no serviço

Nenhuma dessas etapas é pontual. Você sempre estará se dedicando a se aprofundar em seu tópico e público, criar novos produtos, atualizar seus sites, elaborar campanhas e conseguir novos parceiros promocionais. Esse é o trabalho que tem um mensageiro milionário.

Ao longo dessa jornada, gostaria que você retivesse na mente três valores que têm me servido fantasticamente em nosso setor e que ajudaram a revelar minha mensagem a milhões de pessoas.

Primeiro valor: distinção

O primeiro valor é a distinção, tornar-se único. Se você se preocupa muito em ser uma pessoa singular e em fornecer conteúdo e valor únicos a seus clientes, encontrará o tipo de sucesso com que os outros sonham. A vida, e o nosso setor, não recompensam os copiadores ou imitadores. Quanto mais você for autêntico e exibir essa peculiaridade a seus fãs e seguidores, mais influente se tornará.

No nível de conteúdo, creio que a distinção é o meu melhor ativo. Isso se dá provavelmente porque os conselhos de meu pai sobre esse tópico sempre foram: "Seja você mesmo". Adotei esse conselho até o grau máximo nos negócios e me tornei uma pessoa extremamente estratégica e decidida. Como tenho feito a lição de casa sobre todos meus parceiros e sobre todas as informações e programas disponíveis a meus clientes, sei exatamente como sou diferente e como meu conteúdo é diferente. Isso me permite ser muito persuasivo em minhas iniciativas de marketing: "Ei, pessoal, optem por meus programas, pois eles contêm mais disso e menos daquilo e, particularmente, os ajudarão a...". Revelo isso a você, pois creio que é absolutamente crítico para seu sucesso a longo prazo: mantenha um olho na indústria e nas melhores práticas continuamente, para que saiba como seu conteúdo e suas informações estão ou não à altura das demais ofertas existentes no mercado.

Segundo valor: excelência

O segundo valor que oriento alguém a adquirir é a excelência. Conseguir destaque em qualquer função, carreira ou indústria é simples se você tiver uma maior orientação para a excelência do que seus concorrentes. Para mim, a excelência é saber empreender os melhores esforços e se preocupar suficientemente sobre sua carreira e clientes para assegurar que o valor que agrega é igual ou melhor do que qualquer outro no mercado. É saber lutar, incansavelmente, para ser um mestre e líder no que você faz.

De modo geral, aplico *coaching* em meus clientes para considerar que a excelência em nossa indústria está sob uma perspectiva de 360 graus: temos de exigir de nós mesmos, de nossos funcionários e, inclusive, de nossos clientes que se tornem excelentes. Em nosso próprio trabalho devemos, continuamente, empenharmo-nos para melhorar. É cômodo não fazer isso, pois, como mensageiros, geralmente nos vemos cercados por fãs e seguidores comprometidos. Assim, é fácil começarmos a relaxar, pararmos de forçar nossos limites e pararmos de fornecer tudo o que produzimos com níveis cada vez maiores de excelência. Mas os mestres, nessa comunidade, estão sempre se motivando para serem melhores autores, oradores, facilitadores, *coaches*, profissionais de marketing, executivos de negócios, líderes e servidores. Eles são impelidos por uma avidez de crescer e contribuir para ser o melhor no que fazem. E sabem que isso beneficia seus produtos e seus negócios. Conforme minha amiga Paula Abdul disse, quando apareceu repentinamente e surpreendeu meu público na Experts Academy: "Não há muitos carros nesta milha extra".

Como nossos funcionários e terceirizados, devemos ser os embaixadores da excelência. Devemos liderá-los de tal forma que eles desenvolvam um foco obsessivo em serem os melhores no que fazem. Isso pode parecer óbvio, mas a maioria dos experts e empreendedores não considera seu trabalho como um legítimo negócio, de modo que se esquecem desse aspecto decisivo de ser e se ter um negócio bem-sucedido.

Também temos de desafiar nossos clientes para que sejam os melhores em tudo o que lhes ensinamos a fazer. A triste realidade é que a maior parte das pessoas não tem alguém em suas vidas que os motive a crescer e a se tornar melhor no que faz. Portanto, seja essa pessoa para seus clientes. Desafie-os a serem os melhores e a agirem com excelência. É impressionante o que ocorre quando você faz isso. As pessoas repentinamente começam a considerá-lo um *coach* e elas, muito provavelmente, tornam-se fãs e clientes permanentes. Elas dizem: "Uau, esse expert está me motivando para que eu seja o melhor e está me mostrando a trajetória para o crescimento e a excelência. Sou seu fã". Quanto mais você define as responsabilidades e os padrões de excelência para as pessoas, mais elas se tornam ligadas a seu trabalho e ao valor que você proporciona, porque, hoje, ninguém mais faz isso por elas.

Terceiro valor: serviço

O fundamento do que fazemos, em nosso setor, é servir às pessoas. Aprecio muito que nossa atividade seja baseada em ajudar os outros através do fornecimento de informações valiosas, que podem melhorar suas vidas. Esse é realmente nosso trabalho daqui para frente.

Penso no valor do serviço de dois modos. Primeiro, sugiro abordar esse trabalho a partir de uma visão dedicada a servir seja em seu coração, seja em sua mente. Os experts empreendedores que ascendem e ganham milhões de dólares e tocam milhões de pessoas, aqueles que se tornam mensageiros milionários, entram nessa atividade e continuam nela pelas razões corretas. Eles se preocupam em ajudar os outros. Têm uma conexão profunda com aqueles a quem servem. Querem, genuinamente, ajudar as pessoas para que resolvam seus problemas e atinjam seus potenciais. Criam informações e produtos ótimos, não porque agindo assim serão milionários, mas porque ajudarão a melhorar a vida de milhões de pessoas.

Todos os mensageiros milionários que conheci são orientados pela empatia, compaixão e altruísmo. Seus amigos e familiares dizem que eles têm um coração enorme e muitos, em suas comunidades, os chamam de "bons samaritanos". É como se eles estivessem tão conectados à ideia de ajudar os outros com o que sabem que, se você os tirasse dessa atividade, eles ficariam totalmente perdidos. Os mensageiros veem seus trabalhos como a maioria das outras pessoas vê o voluntariado: uma oportunidade para ofertar do fundo do coração. Eles são líderes servis.

Esse valor de servir não indica simplesmente executar coisas pelas razões corretas. Indica, também, fazer as coisas corretamente no que tange ao serviço aos clientes. Nossa indústria precisa tratar melhor seus clientes e abordar o serviço aos clientes ainda mais seriamente do que fazem as 500 empresas da lista da *Fortune*. Devemos entregar o que é prometido, ter funcionários disponíveis para responder aos e-mails e telefonemas no mesmo dia, defender nossas garantias e procurar fornecer a nossos clientes um ótimo valor. Essas ideias aplicam-se a qualquer negócio. Mas a natureza de nosso trabalho impele-nos a prestar ainda mais atenção à excelência do serviço aos clientes. Seu negócio, nessa indústria, é seu nome. Pense em Tony Robbins: se você não se importa com os clientes, as pessoas rapidamente saberão. Seu nome, sua marca e todo seu negócio podem ser rapidamente destruídos se você não tratar adequadamente seus clientes. E clientes maltratados em nosso setor recorrem à internet para expressar desencanto mais do que em quaisquer outros setores da economia. "Ataques aos gurus" já é uma expressão comum, e foi criada exatamente para que você saiba que as pessoas gostam de perseguir experts e gurus em qualquer campo. Essa é mais uma razão para você sempre se preocupar com seus clientes.

INDICADORES PARA EXPERTS:

1. O que me distingue nesse setor é que...

2. A razão por que estou comprometido a ter excelência em tudo o que faço é...

3. A razão por que, antes de mais nada, estou fazendo este trabalho é...

O propósito deste capítulo foi dar um panorama abrangente e geral sobre sua nova carreira. Siga essas nove etapas e começará a construir um grande império. No próximo capítulo, você verá onde testar essas teorias na vida real e onde está a fonte de dinheiro desse setor. Você aprenderá como experts empreendedores geralmente tornam-se mensageiros milionários graças a cinco programas simples. Mas antes de prosseguir, não se esqueça de fazer sua lição de casa e finalizar todos os exercícios de indicadores para os experts.

...

CAPÍTULO 6

O guia financeiro do mensageiro milionário

Sempre que digo às pessoas que elas podem fazer a diferença e, ao mesmo tempo, ganhar dinheiro ao compartilharem suas histórias de vida e recomendações com outros, normalmente elas me olham como se eu estivesse louco. Muitas delas voltam-se para mim como se estivessem prestes a falar: "Certo, cara. Mostre-me o dinheiro e de onde vêm todos esses dólares que os 'mensageiros milionários' ganham".

Tenho recebido muitos olhares como esses para saber que é importante falar sobre dinheiro com você. Farei isso neste capítulo, mas, antes, preciso fazer algumas observações.

Primeiro, sou bastante parecido com muitos de meus leitores, e o dinheiro desempenha um papel secundário em minha vida. A realidade é que me estimula mais compartilhar minha mensagem do que ter dinheiro para comprar bens de consumo. Suponho que isso derive do modo como fui criado. Meus pais, ambos trabalhavam em período integral, jamais ganharam mais de US$ 40 mil, em conjunto, quando eu era jovem. Não tínhamos muito dinheiro em minha adolescência e nunca tive a ambição de acumular riquezas materiais.

No entanto, aprendi uma lição muito importante sobre dinheiro nesses últimos anos: ele é um grande amplificador. Se você deseja transmitir sua mensagem em grande estilo e quer sustentar esse processo, ter mais dinheiro torna isso possível. Soa estranho escrever isso (para mim), mas, após trabalhar com dezenas de milhares de experts empreendedores, sei que é verdade. Você simplesmente precisa de dinheiro para continuar a compartilhar e sustentar sua mensagem.

Essa é a razão pela qual, neste capítulo, falarei, sem rodeios, sobre dinheiro e como ele é ganho em nossa indústria. Não quero que você seja outro pretenso escritor, orador, *coach*, palestrante ou divulgador de informações on-line cuja mensagem desvanece porque tem de passar todo o tempo lidando com trabalhos paralelos infrutíferos que o mantêm distante de sua arte e sua mensagem.

Assim, vamos abordar diretamente o ponto. Como os especialistas ganham dinheiro? Como você pode ganhar uma quantia milionária sem criar uma organização gigantesca que conflite com sua liberdade empresarial? É muito, muito mais simples do que você imagina.

...

Os seis pilares de lucros para experts empreendedores

Os experts empreendedores ganham dinheiro graças a uma ou mais das atividades a seguir:

- Escrita
- Oratória
- Seminários
- *Coaching*
- Consultoria
- Marketing digital

Na condição de autores, eles elaboram seus conselhos e informações práticas e úteis, e cobram por isso. Embora, para os experts, escrever um livro seja a forma mais comum de ganhar dinheiro, também há outras opções. Eu e meus clientes lucramos vendendo livretos (o primo mais curto dos livros, geralmente com 20 a 50 páginas), e-books (versões eletrônicas mais curtas dos livros, geralmente de 20 a 50 páginas), manuais de instrução (manuais para treinamento dos orientadores sobre meu tópico), assinaturas em blogues (em que as pessoas pagam uma taxa de inscrição para acessar com um login e senha particulares e ter acesso ao conteúdo), séries de artigos (para serem licenciados por outros experts) e newsletters de assinaturas mensais (entregues impressas na casa dos clientes uma vez ao mês mediante pagamento de uma tarifa).

Como oradores, os experts lucram fazendo apresentações sobre seus tópicos em um dos três formatos. Primeiro, eles podem divulgar a si próprios como palestrantes principais, cobrando das organizações uma taxa de palestra por evento, que oscila, geralmente, entre meia hora e uma hora e meia. Quando falam por períodos mais longos, de duas horas a dois dias, os oradores assumem o papel de orientadores e transmitem suas informações para organizações de maneira muito mais detalhada. Depois, e esta tem se tornado uma estratégia extremamente popular e rentável na última década, os oradores obtêm um ganho com a prática de "vendas em plataformas", o que constitui em falar diretamente dos palcos dos promotores e oferecer seus produtos mais caros para venda direta ao público. Basicamente, eles instruem sobre seus tópicos durante cerca de 80 minutos e, então, nos últimos dez ou quinze minutos oferecem seus programas. Nesse formato, os apresentadores não ganham uma comissão para participar, eles terão algum rendimento se o público comprar seus programas. Nesse caso, o orador divide o faturamento ao meio: 50% para ele e 50% para o promotor. Na atualidade, muitos palestrantes também ganham uma boa bolada disponibilizando treinamento on-line com vídeos, mas reservarei essa discussão para mais tarde.

Na condição de principais palestrantes de um seminário, os experts abrigam seus próprios eventos ao vivo. Agrupo, normalmente, eventos de treinamento ao vivo sob o título de "seminários", mas eles são descritos como workshops, congressos, retiros educacionais, treinamentos intensivos e fins de semana transformacionais. Os seminários, como discutirei posteriormente, são, de modo geral, um dos pilares mais lucrativos para os experts empreendedores. São, também, uma das maiores iniciativas de posicionamento que um expert pode desenvolver; se você apresenta um seminário sobre um tópico, muitas pessoas o verão como uma autoridade de ponta nessa área (e qualquer outro palestrante sobre seu tópico também vai quer participar de seu evento).

Na qualidade de *coaches* pessoais e de negócios, os experts podem obter renda ao cobrar de clientes por sessões de *coaching* individuais ou em grupo. A modalidade mais comum de *coaching* é similar ao modelo terapêutico: os *coaches* são pagos por hora de sessão. Ela, geralmente, envolve uma conversa entre um *coach* e seus clientes, pessoalmente ou por telefone, durante uma hora por semana ou por mês. No modelo de *coaching* em grupo, mais escalável e lucrativo, um *coach* pode receber telefonemas semanal ou mensalmente de um grupo de clientes, orientando-os, em um primeiro momento, e, então, conduzindo-os a sessões de perguntas e respostas.

Na qualidade de consultores, os experts podem obter renda ao cobrar de organizações por hora ou pelo projeto finalizado, por seus serviços efetivos de criar, colaborar e finalizar um projeto determinado. Na nova era econômica, esse é o método mais trabalhoso para se ganhar dinheiro como expert. Você tem de encontrar empresas-cliente, contribuir com seus serviços e, então, trabalhar individualmente ou com equipes para obter resultados. Pessoalmente, raras vezes recomendo esse modelo para meus experts devido aos desafios de tempo e de mudanças de escala de funcionários. É muito difícil planejar uma escala de um modelo de *coaching* sem formar um grupo grande e fixo de funcionários, mas muitos têm feito isso com sucesso, por isso o incluí neste livro. Dependendo de suas metas, a consultoria pode ser uma ótima opção, especialmente se você gosta de resolver problemas organizacionais de grande porte. Mas, como fui consultor na maior empresa de consultoria do mundo durante seis anos de minha vida, talvez eu, simplesmente, esteja cansado dos horários, da pressão e da política.

Finalmente, como profissionais de marketing digital, os experts ganham dinheiro empacotando suas informações e recomendações práticas e úteis em produtos e programas informativos que as pessoas compram via internet. Essa é a nova "terra prometida" dos experts e de todos os empreendedores. A internet tem eliminado grande parte das antigas convenções de distribuição e permitido que consigamos capturar, comunicar e vender a nossos clientes. Os experts, agora, oferecem, normalmente, seus conteúdos e treinamentos práticos e úteis através de *webinars*, softwares, sites de cadastramento, programas de áudio e vídeo disponibilizados para download, lançamentos de conteúdos mensais, programas de treinamento e muito mais. Os experts de hoje são, essencialmente, varejistas de informações on-line. E, diferentemente dos concorrentes do mundo físico, a atividade está "bombando". Montar um site para agregar valor aos clientes, capturar *leads* e fornecer conteúdo mediante uma taxa está sendo mais fácil e rápido do que nunca. Na Experts Academy, nós temos mostrado e provado como os experts empreendedores podem começar nessas atividades e operar on-line em menos de um dia. É incrível.

A parte agradável de todas essas funções – autor, orador, palestrante, *coach*, consultor e divulgador de informações on-line – é que você escolhe o que combina melhor com seu estilo de vida e suas preferências. Você é um bom escritor que não gosta de viajar? Então, trabalhar como autor e profissional do marketing digital faz sentido. Adora exibição, holofotes e conhecer novas cidades? Então, tornar-se um orador e palestrante pode ser um prazer. Prefere trabalhar em contato pessoal com clientes ou está abandonando as atividades como *coach* ou consultor?

Embora a possibilidade de escolha seja maravilhosa, você não precisa necessariamente escolher. A maioria dos experts, ao menos aqueles entre nós que estão consolidando empresas milionárias, usa muitas dessas modalidades como parte de suas estratégias de negócios. A verdade é que, se você usa apenas uma dessas modalidades, fica, essencialmente, limitado em seus rendimentos e corre o risco de não criar um negócio verdadeiro.

Apresento, agora, um exemplo comum. Muitas das pessoas que participam de eventos na Experts Academy são escritores best-sellers indicados pelo *The New York Times*. Você pode pensar que eles estão acima da riqueza e da fama. Mas, para muitos, eles são desconhecidos e falidos. Como isso é possível? Porque, embora tivessem um livro campeão de vendas, não tinham nada além do livro; eles não tinham um ótimo site ou outros produtos e serviços disponíveis para venda. Quando seus 15 minutos de fama terminam, seus novos admiradores não têm nada mais para comprar. Isso é tão comum que passa a ser assustador, e eu conjecturo que nosso setor, particularmente o dos livros, rivaliza-se com o setor musical no número de sucessos estrondosos de uma única ocasião.

Para, efetivamente, evoluir e se expandir como um expert, você deverá começar a cultivar todas as seis áreas em um modelo de negócios e ter várias fontes de receita. Mesmo que você não se anime, confie em mim, ficará empolgado quando vir o impacto, a influência e o rendimento que é possível gerar mesclando escrita, oratória, seminários, *coaching*, consultoria e marketing digital.

Pessoalmente, sou um escritor best-seller, orador influente e muito requisitado, palestrante que tem seus seminários lotados, *coach* com uma longa lista de espera de clientes que pagam US$ 25 mil ao ano, consultor que seleciona e escolhe projetos e divulgador de informações on-line cujos produtos rendem milhões de dólares, e, o ponto principal: tudo isso é feito com um grupo mínimo de colaboradores e com um modelo de negócios extremamente simples.

Esse último ponto merece ser repetido. Na qualidade de um expert empreendedor, não são necessários muitos funcionários, para não dizer nenhum. Como você lembrará, ganhei meu primeiro milhão sem ter um único funcionário. Como isso é possível? É possível porque, na maioria dos casos, toda a estrutura de que precisa nesse negócio é um telefone, um laptop e uma mensagem. A partir daí, tudo se resume a posicionamento (*positioning*), empacotamento (*packaging*), promoção (*promoting*) e parceria (*partnership*) com terceiros para transmitir sua mensagem ao mundo. Cobrirei esses quatro Ps no capítulo 8, "Os requisitos do mensageiro".

...

Um império milionário em cinco etapas

Deixe-me mostrar como todas essas funções e pilares de rendimentos podem se agrupar para criar um plano muito simples, que vai gerar negócios especializados e milionários.

Esse plano foi criado para Sally, uma de minhas clientes mais bem-sucedidas, que certo dia me perguntou sem rodeios: "Brendon, preciso de um plano para ganhar US$ 1 milhão em um ano, e desejo poder implementá-lo sem construir uma infraestrutura imensa ou esperar um golpe de sorte que expanda minha base a dezenas de milhares de novos clientes".

Em praticamente todos os setores, esse desafio apresentaria muitos problemas. No segmento dos experts ele é relativamente simples. De fato, mostrei a essa cliente que ela poderia atingir sua meta com apenas uma centena de clientes, sem nenhum funcionário e com as seis iniciativas básicas de trabalho a seguir.

1. Crie um produto informativo com preço baixo.

Primeiro, disse à Sally que criasse um produto informativo com preço baixo. Ela me perguntou: "O que é isso?". Tenho certeza de que você fará a mesma pergunta, então definirei meus termos à medida que avançarmos pelo plano.

Em nossa indústria, preço baixo é normalmente algo na faixa de US$ 20 a US$ 200. Um produto informativo é basicamente material de treinamento, suas orientações ou estratégias para atingir o sucesso embaladas. Nessa faixa de preço, o produto é geralmente um livro, e-book, programa de áudio em CD ou um curso de estudo domiciliar em DVD.

Vamos supor que Sally criasse um programa de áudio composto de apenas sete CDs, vendido a US$ 197. Um programa de áudio como esse é de fácil criação. Ela precisaria comprar um microfone decente, conectá-lo a seu computador e, com o software gratuito, poderia gravar o treinamento. Tudo o que ela precisaria seria gravar sete sessões de uma hora, que, ao final, resultassem nos sete CDs do programa. Assim que ela tivesse os arquivos MP3 de suas gravações, poderia enviá-los a um fabricante de

CDs para que ele os produzisse e fizesse o design do produto. Pronto! Sally tem um produto, que a produtora fabrica sob demanda e entrega. Agora, tudo o que ela precisa é de um site para vender o programa.

Agora, vamos abordar os números. Se Sally vendesse apenas um programa ao dia a US$ 197, em um mês padrão de 30 dias, ela ganharia US$ 5.910. Multiplique essa quantia por 12 meses e este produto terá um faturamento anual de US$ 70.920. Razoável. Ela teria faturado US$ 70 mil num ano e precisaria somente de 365 clientes para obter esse valor. Contudo, esse é apenas o começo.

Nesse ponto, permita-me abordar a ignorância dos céticos. Muitos novatos ou observadores de fora diriam: "Oh, meu Deus, quem pagaria 197 dólares por um programa de áudio quando é possível obter audiobooks por dez dólares?". O que esse tipo de pergunta revela é uma falta de entendimento sobre a indústria de experts. O valor de qualquer programa em nossa indústria não se baseia no custo de criação, e sim no montante de valor que ele pode oferecer. A expertise não é uma commodity como uma pasta de dente. Por exemplo, um programa de áudio com sete discos pode ser produzido e finalizado por cerca de US$ 15 a US$ 25, mas certamente ele vale muito mais do que isso se resolve os problemas das pessoas ou melhora a vida ou os negócios de alguém, certo? Por exemplo, meu amigo Tony Robbins comercializa um programa de áudio de desenvolvimento pessoal maravilhoso chamado "*Get the Edge*"[4]. Ele é composto de somente sete CDs numa caixa. Comprei-o por cerca de US$ 197 há alguns anos e ele mudou minha vida. A mudança de uma vida vale US$ 197? Eu penso que sim. Qualquer pessoa que achar que não simplesmente não é meu cliente, ou seu.

Vamos avançar e ver como começa o acúmulo de dólares.

2. Crie um programa de assinatura de preço baixo.

Bem, agora temos Sally preparada para ganhar US$ 70.920 ao ano somente pela venda de um programa de áudio de US$ 197. Acima de tudo, sugiro que ela crie um programa de assinatura, que na comunidade de experts geralmente é chamado de um programa de cadastramento ou de conti-

---

[4] "Chegue ao limite", tradução livre (N. T.).

nuidade. Semelhante ao modelo de negócios de revistas, um programa de assinatura nessa indústria se baseia na entrega mensal de conteúdo a seus clientes.

Nessa etapa, sugeri que ela criasse um programa em que enviaria a seus clientes um novo vídeo de treinamento de mês em mês. Sugeri ainda que ela hospedasse uma chamada mensal de treinamento numa linha de audioconferência em que ministraria mais treinamentos bem como responderia a perguntas. Para acessar os replays das conferências e dos vídeos, seus clientes poderiam entrar num site exclusivo para membros e fazer os downloads de gravações tanto de áudio como de vídeo.

A um preço baixo, tabelado em nossa indústria, Sally pode cobrar de US$ 9,97 até US$ 197 ao mês, por treinamento, segundo seu posicionamento no mercado e de acordo com o valor fornecido aos clientes. Sugeri que começássemos com uma assinatura de US$ 97.

Examinando os números, se ela arregimentasse apenas 100 pessoas que pagassem US$ 97 ao mês por seu programa de assinatura, estaria faturando mais US$ 9.700 ao mês, o que equivale a uma soma surpreendente de US$ 116 mil ao ano.

Imagine ganhar essa quantia ao ano com apenas 100 clientes quando tudo o que você tivesse de fazer fosse enviar um vídeo e hospedar uma chamada uma vez por mês. Em nossa indústria, isso acontece o tempo todo.

Agora, lembre-se de que você não tem de fazer um vídeo ou uma audioconferência a cada mês. Você poderia simplesmente enviar uma newsletter especializada ou um novo CD de áudio nesse período. Nem mesmo é preciso criar pessoalmente o conteúdo ou os próprios produtos. Você pode contratar um *freelancer* para elaborar os artigos ou criar vídeos de treinamento, ou pode formar parcerias com outros experts de modo a enviar os conteúdos deles aos seus clientes. As opções são infinitas, e você tem de selecionar em que modalidade prefere trabalhar.

Espero que não precise lembrá-lo de que tudo isso se sustenta em você fornecer conteúdo e valor excelentes a seus clientes. Consegue ver como isso vai acumulando rapidamente?

Vamos continuar a empilhar serviços em nossa trajetória até obtermos o milhão de dólares.

3. Crie um produto informativo de preço médio.

Em seguida, pedi a Sally que considerasse preparar um programa de treinamento mais avançado e abrangente que pudesse ser vendido numa faixa média de preço. Para referência, uma faixa de preço baixo fica em torno de US$ 10 a US$ 200; uma faixa média de preço, de geralmente US$ 200 a US$ 999; e uma faixa de preço alto, de US$ 1.000 para cima.

A organização de níveis de preços baixos a altos é somente para fins de ilustração. A realidade é que a faixa média para desenvolvimento pessoal é diferente daquela praticada em assessoria imobiliária ou em programas dedicados à construção de riqueza. Por exemplo, um produto de US$ 497 é considerado de valor alto no nicho do desenvolvimento pessoal, mas barato e de valor baixo no nicho do marketing digital.

Vamos dizer que Sally tenha criado um curso em DVD para estudo domiciliar de US$ 497 sobre seu tópico e que ela o enviasse à casa das pessoas. Esse material poderia incluir dez DVDs transcritos, um livro didático e um programa de áudio com três discos como bônus. Se ela vendesse 60 unidades ao mês, apenas dois por dia, isso equivaleria a US$ 29.820 ao mês, que acrescentaria fantásticos US$ 357.840 por ano.

Note que, agora, não estou pedindo a ela para vender dezenas de milhares de unidades. Estamos falando de apenas 60 clientes ao mês para que ela ganhasse US$ 357.840 ao ano com somente esse produto. O americano médio ganha menos de US$ 65 mil, de modo que esse montante é incrível.

No entanto, estamos apenas nos aquecendo. Como todas essas pessoas cujas vidas foram transformadas pelas audioconferências, cadastramentos e programas de DVD de Sally desejariam vê-la pessoalmente um dia, elas vão querer participar de seu seminário.

4. Crie um seminário de vários dias num nível de preço mais alto.

Conduzir seminários é a estratégia de crescimento mais lucrativa para experts que conheço. Pense em qualquer guru que você já tenha seguido. Eles tinham um seminário ou um workshop num evento ao vivo? Certamente. O que é interessante é que, provavelmente, não começaram seus seminários porque queriam ser uma estrela das palestras. Em vez disso, entraram nessa área em face do que seus clientes exigiram que fizessem. A realidade é que os clientes em nosso setor estão interessados em dominar o assunto e continuar seus estudos. Portanto, se compraram seus livros, programas de áudio e de DVDs, querem se aprofundar mais e aprender seus mandamentos. Não é nada diferente do segmento musical: os consumidores compram CDs, mas, em algum ponto, almejam ardentemente assistir a um concerto ao vivo.

Estranhamente, a maioria dos experts tem pavor de fazer seus próprios seminários. Mas, novamente, a maior parte desse medo é devido à incerteza — seu desconhecimento na condução de seminários gera falta de confiança. Os seminários, de fato, são ações fáceis de se obter êxito e são lucrativos se você sabe o que está fazendo, e não é preciso ter uma audiência muito numerosa para que isso ocorra.

Por exemplo, nos próximos 12 meses você acha que conseguiria reunir apenas 100 pessoas num salão de conferência para que aprendessem com você? Aposto que sim, se você estivesse bem posicionado, preparado, promovido e com boas parcerias.

Vamos imaginar que Sally planejasse, durante um ano inteiro, e atraísse somente cem pessoas para o seu seminário, cada uma delas pagando US$ 1.000 por participação. Elas pagariam esse valor, pois teriam Sally ao vivo e pessoalmente, e também teriam seu melhor conteúdo. Ela recebe alguns outros especialistas como palestrantes convidados, e o seminário é realizado num agradável resort de fácil acesso. Se você não consegue convencer cem pessoas de participarem de um seminário, e tem um ano inteiro para fazê-lo, então você, provavelmente, perdeu todo o seu poder de comunicação. Pense nisso: você apenas teria de conseguir nove ou dez pessoas ao mês que se cadastrassem durante esse ano para colocar cem pessoas num salão.

Retomando os números nesse exemplo, Sally faturaria US$ 100 mil em vendas de bilhetes. Isso para apenas um fim de semana de treinamento e incluindo somente as vendas dos ingressos. Não estamos nem considerando as vendas finais, que seriam compras adicionais de produtos ou programas que os clientes fazem num evento ao vivo. A parte final de um seminário geralmente rende o dobro da inicial, mas não incluiremos esse número agora somente para ilustrar um plano milionário simples.

No primeiro seminário que fiz, havia cerca de 28 pessoas e elas pagaram o dobro do valor proposto a Sally: US$ 2 mil. E eu não sabia nem a metade do que você sabe agora sobre nossa indústria. Não consegui acreditar. O seminário me rendeu US$ 56 mil num fim de semana. Os custos totais para a realização do evento foram de apenas US$ 5 mil, que incluíam o aluguel do recinto e da tela de apresentação. Recordo carinhosamente disso, pois tive de fazer tudo sozinho. Eu não tinha uma equipe de apoio para rodar o vídeo do programa ou para comandar as luzes e a música. Tomei um projetor emprestado de um amigo e trouxe salgadinhos para as pessoas. Operei o seminário inteiro distante de meu laptop, que foi colocado sobre uma pequena mesa de aba alongada. Comprei alguns alto--falantes baratos para computador e os posicionei debaixo da mesa. Antes, e após os intervalos, toquei algumas músicas, conversei com clientes, fiz todos dançarem, e, no final, desliguei eu mesmo a música. Foi hilário sob o ponto de vista de produção, mas o programa transformou a vida das pessoas. Todos nós começamos de algum ponto. Naquele tempo, nossos seminários eram bastante fantasiosos e, normalmente, reuníamos centenas de pessoas num salão, que pagavam de US$ 3,5 mil a US$ 5 mil por ingresso.

Voltando ao nosso exemplo: Sally acabou de faturar US$ 100 mil em seu primeiro seminário. Logo ela descobrirá que as pessoas querem se aprofundar ainda mais com seus treinamentos e pedirão por seu *coaching* pessoal.

5. Crie um programa de *coaching* com preço mais alto.

Quando os admiradores e clientes de Sally quiserem ter sua atenção pessoal e continuar sua instrução num nível de domínio, vão querer contratá-la como uma *coach* pessoal ou de negócios.

Há muitos meios de se criar um programa de *coaching*, e todos são ensinados na Experts Academy. Um deles seria para a Sally ser contratada como uma *coach* pessoal ou de negócios numa metodologia de "um para um" tradicional. Nesse papel, ela avaliaria as necessidades de seus clientes e trabalharia com eles para descobrir onde estão e aonde querem chegar. Em seguida, criaria um plano para mover os clientes para mais perto de seus sonhos e começaria a lhes aplicar *coaching* para implementar o plano, de modo que permanecessem responsáveis e se desenvolvessem como pessoas ou profissionais. A maior parte dos diálogos e do *coaching* se dá pelo telefone. Embora qualquer *coach* profissional lhe diga que há mais disso ou daquilo, essa é uma visão geral mais abrangente do negócio.

Os preços na atividade de *coaching* têm se tornado cada vez mais diversos nos dias de hoje. Como um setor, o *coach* pessoal médio ganha, provavelmente, entre US$ 150 e US$ 340 por hora. Mas, essa é a média e ficar na faixa média não fará de você um milionário. Raramente recomendo que as pessoas foquem unicamente no *coaching*, pessoal ou de negócios, individual e tradicional, pois não é escalável. Você apenas consegue aplicar *coaching* em um número muito grande de pessoas no modelo de horário tradicional. E mesmo que mantenha sua agenda lotada com pedidos de *coaching* e com as sessões presenciais, irá se deparar com o mesmo problema que terapeutas, médicos, advogados e qualquer profissional que ganhe por hora: começará a detestar sua vida.

Eu também passei por essa experiência. Lembro-me de ter tido tantos clientes em sessões de *coaching* que comecei a sonhar que estava falando ao telefone o dia inteiro. Minha vida tornou-se tão intensa, e minha agenda estava tão apertada, que percebi que era impossível viver desse jeito.

O melhor modelo para tornar uma prática de *coaching* viável é começar a aplicá-lo em grupo; agora, vamos usar isso como exemplo. Digamos que Sally crie um programa moderno de *coaching* em grupo que custe US$ 2 mil ao mês. Nesse programa, são oferecidos a seus clientes novos vídeos de treinamento exclusivos a cada mês, um treinamento de grupo, uma audioconferência de perguntas e respostas, dois ingressos para seu seminário presencial e um evento ao vivo de fim de semana, separado a cada ano, somente para o recebimento de *coaching*. Ela pode dialogar ou não com os membros do grupo individualmente uma vez ao mês. Sendo minha cliente, recomendo que não dialogue. O valor que o grupo obtém é o treinamento exclusivo e o acesso tanto a ela quanto ao próprio grupo. Gosto muito desse modelo e muitos em nossa comunidade têm sido bem-sucedidos com seu uso.

Se Sally consegue captar apenas 15 pessoas nesse programa de US$ 2 mil ao mês, isso equivale a US$ 30 mil ao mês ou US$ 360 mil por ano.

Com a implementação dessa última estratégia, criamos, para Sally, um império milionário, inteiramente novo e a partir do nada, fazendo apenas cinco coisas. Vamos examinar como todos esses números agregam.

1. Se Sally vendesse apenas um programa de áudio de preço baixo ao dia por US$ 197, ela ganharia US$ 5.910 ao mês e US$ 70.920 por ano.

2. Se ela obtivesse apenas 100 pessoas num programa de assinatura de US$ 97 ao mês, ela ganharia US$ 9.700 ao mês e US$ 116.400 por ano.

3. Se ela vendesse apenas 60 produtos de preço médio ao mês por US$ 497, ela ganharia US$ 29.820 ao mês ou US$ 357.840 por ano.

4. Se ela vendesse apenas 100 ingressos de seu seminário a US$ 1.000, ela ganharia mais US$ 100 mil por ano.

5. Se ela conseguisse apenas 15 clientes de *coaching* a US$ 2 mil ao mês, ela ganharia US$ 30 mil por mês ou US$ 360 mil por ano.

Combinadas, essas cinco estratégias renderiam à Sally a quantia de US$ 1.005.160 por ano!

O que é extraordinário sobre esse plano é que ele não exige que Sally tenha dezenas e dezenas de produtos ou milhares e milhares de clientes. Ela precisa de apenas cinco programas em que as pessoas se cadastrem. Para se tornar uma milionária, precisa somente vender um programa de áudio de preço baixo ao dia, 100 assinaturas a US$ 97 ao mês, 60 produtos de preço médio ao mês, 100 ingressos de um seminário durante o período de um ano e ter 15 clientes em seu programa de *coaching*.

Certamente, esse é apenas um plano modelo, mas há vários meios de se atingir US$ 1 milhão. Sally poderia decidir focar unicamente na condução de seminários e faturar aquela quantia vendendo ingressos de US$ 2 mil a 500 pessoas ou de US$ 500 a 2 mil pessoas. Ou poderia trabalhar exclusivamente na criação de um programa de cadastramento/ registro e obter mil pessoas que lhe pagassem US$ 97 ao mês para atingir seu milhão. Ou, então, poderia vender cerca de 2 mil produtos por US$ 497, ou arregimentar 45 clientes de *coaching* a 2 mil por mês, para obter um fantástico ganho de 1.080.000. Afirmo que as possibilidades são infinitas.

Neste ponto, sei que muitas pessoas têm objeções ao que descrevi. Elas dizem: "Bem, Brendon, nem todo indivíduo pode ser um expert e fazer isso". A essa afirmação, eu respondo: "Por que não?". O que há sobre essa indústria que faz as pessoas pensarem que não podem fazer isso? Evidentemente, qualquer indivíduo pode aprender e dominar um tópico, certo? E qualquer indivíduo pode organizar seu conhecimento em conselhos úteis, certo? E, na atualidade, qualquer pessoa pode montar um site e oferecer programas para venda, certo? Portanto, qual é a razão de todo esse mistério? Espero que este livro ajude na desconstrução desse mito.

Naturalmente, nem todas as pessoas ficarão milionárias ou conseguirão resultados financeiros extraordinários nesse trabalho. Meu objetivo aqui não é garantir que todas conseguirão. Geralmente me perguntam: "Brendon, seu exemplo para ganhar milhões é ótimo, mas qualquer pessoa pode ganhar dinheiro e se tornar rica fazendo o mesmo?". Como uma renúncia de direito, devo dizer que meus resultados são atípicos e que não garanto a ninguém conseguir uma boa renda se seguir minhas (ou de qualquer outra pessoa) recomendações ou estratégias. Aliás, pessoalmente, acho que nada na vida é garantido. Concorda? Além disso, é ilegal garantir quaisquer resultados com seus ensinamentos, e ponto final. A lei deriva da Federal Trade Comission norte-americana, que, felizmente, evita que elementos desprezíveis façam alegações malucas, como: "Qualquer pessoa que adquirir meu curso passará a ser milionária da noite para o dia se comprar casas executadas em processos hipotecários".

A verdade é que todos nós temos diferentes níveis de ambição, conhecimento, aptidões, talento, capacidade, recursos e comprometimento; dessa maneira, certamente, obteremos diferentes resultados na vida. Para mim, isso faz sentido.

Meu objetivo ao ilustrar esse plano-modelo é exibir um exemplo de como apenas algumas ofertas de produtos podem fazer uma grande oportunidade. Estou apenas ajudando a esclarecer de onde vem o dinheiro em nossa indústria para que isso não seja mais um mistério para os novatos e enriqueça seu entendimento sobre a indústria e sobre como ela opera.

Outra objeção que frequentemente ouvimos refere-se aos números utilizados em minha ilustração. Muitos novatos e céticos perguntam: "Mas alguns desses produtos têm preços tão altos! Quem é você para cobrar tanto?". Bem, quem é alguém para cobrar dinheiro por algo? O que dá a qualquer profissional o direito de cobrar a quantia que for por algo? É um conceito chamado capitalismo. Trata-se da demanda e da oferta, e da noção de uma troca igual de valor. Em nosso mundo dos experts, sabemos que podemos cobrar determinados valores, pois, sinceramente, as pessoas pagam. Os consumidores votam de acordo com suas carteiras. Se eles, efetivamente, não acreditassem que merecemos, não pagariam o preço que pedimos. Isso é simples.

Nunca se esqueça de que as pessoas pagam para abreviar sua curva de aprendizado e sua trajetória para o sucesso. Veja a quantia exorbitante de dinheiro que as pessoas pagam por uma faculdade nestes dias. Alguns diriam que isso é uma desumanidade. Mas elas pagam as mensalidades e taxas, e continuarão a fazê-lo, uma vez que aprender é, e será sempre, muito importante. No nicho dos experts, elevamos o ensino a um nível mais alto ao sintetizar e sistematizar informações específicas que ajudam as pessoas a resolver seus problemas, quer pessoais ou profissionais, e para que progridam mais rapidamente na vida.

Felizmente, para nós, a demanda é sempre alta, e o mundo está sempre ávido de novas estratégias e ideias. Para ilustrar esse ponto, considere o fato de que, ainda que todos os setores da economia tenham experimentado um período de queda nos últimos anos, as empresas geridas por experts polivalentes, que seguem os princípios deste livro, viram um crescimento extraordinário. Por quê? Porque hoje, mais do que nunca, milhões de pessoas estão procurando inspiração e instrução para ajudá-las a seguir em frente e continuar motivadas. Houve dispensas numerosas de pessoas, os nascidos entre as décadas de 1960 e 1970 estão se aposentando e uma nova geração visa ter sucesso. Todos esses fatores trazem bons presságios para o expert empreendedor.

E este é o ponto. Se você pessoalmente não crê que pode cobrar preços altos, provavelmente está certo. Eu sempre acreditei que o potencial de uma pessoa somente é limitado pela convicção que ela tem nela mesma e no que é possível. Se suas convicções o impedem de crer que você, suas informações e expertise são valiosos, então ninguém pode ajudá-lo. Ninguém jamais aparecerá na sua porta com um certificado que diz: "Parabéns! Você não está qualificado para aumentar seus preços!". A exemplo de tudo na vida, o modo de obter algo que você quer, inclusive chegar ao ponto em que pode cobrar um bom dinheiro por seus bons conselhos, reside em quão arduamente trabalhará e o quanto de valor agregará. Nem todos trabalharão com afinco, agregarão igual valor ou obterão sucesso.

Pessoalmente, tenho uma opinião bem definida sobre quem vai ter sucesso e quem não obterá êxito nessa atividade. E acho também que isso é um tanto previsível. Para a surpresa de muitos de meus amigos, não acho que isso está ligado ao grau de inteligência, grau de conexões, nível de atração ou ao nível de riqueza anterior. Também não considero que dependa de ter um plano ou site de negócios perfeito, nem do grau de extensão das listas de membros captados.

Creio que tem uma relação mais profunda com o que Tony Robbins geralmente fala: "Não se trata de seus recursos, mas sim da disponibilidade deles". Eu não tinha muito conhecimento de negócios, contatos ou dinheiro quando comecei. Também não tinha uma lista, um plano ou um site. Vários de meus clientes começaram da mesma forma, com nada além de um sonho e de um desejo de ajudar ao próximo.

O que experts de adequado sucesso têm em comum é que possuem mentalidade e requisitos para seguir adiante. Em outras palavras, temos a correta psicologia e um conjunto de práticas que nos ajudam a iniciar e crescer como um negócio verdadeiro. Nos próximos dois capítulos, cobriremos detalhadamente essas duas áreas.

...

Um lembrete

À medida que migramos de nossa discussão sobre o dinheiro para a discussão sobre a mentalidade, vamos voltar ao cerne do motivo pelo qual fazemos esse trabalho importante. Você, com certeza, tem a chance de ganhar uma boa bolada sendo um expert. Sem que eu fosse obrigado, tive de instruí-lo sobre ganhar dinheiro, pois sei que esse é um fator essencial para que você comece a divulgar sua atividade e sustente sua mensagem. Quanto mais dinheiro você ganha, mais pode disseminar sua mensagem. Mas, com todo o foco em ter uma renda e administrar o negócio, pode ser fácil afastarmo-nos da razão pela qual estamos nessa atividade. Nós sempre temos de lembrar que, apesar da imensa oportunidade financeira que temos no nicho dos experts, temos um chamado e uma obrigação ainda maiores a servir. Nossa missão é melhorar a vida e os negócios daqueles a quem servimos, fornecendo ótimas informações e um grande valor.

A exemplo de qualquer empreendedor, os experts podem sucumbir rapidamente se focarem no lado financeiro e operacional do negócio. É fácil perder o sentido do que fazemos quando temos de lidar com o dinheiro e com clientes extremamente exigentes. E agora que todos nós trabalhamos virtualmente e podemos servir às massas pela internet, geralmente perdemos a conexão com nossos clientes individuais. E é essa conexão pessoal que nos faz lembrar como nosso trabalho faz a diferença.

Eu mesmo passei por essa experiência. Em meio às viagens que faço para dar palestras e seminários, ao isolamento a que me forço para escrever novos artigos e livros e à pressa para obter os mais recentes vídeos ou promoções finalizadas e postadas na web, às vezes sinto mais estresse do que satisfação. Há dias em que não falo com nenhum cliente e em outros me correspondo com alguns que preferia não tê-los como tais. Há dias também em que meus funcionários me deprimem ou eu os deprimo. Há dias em que quero atirar meu computador pela janela para sempre. E, há muitos dias, em que me sinto sozinho nessa indústria, pois raramente nos congregamos para criar uma verdadeira comunidade.

Imagino que isso seja parte essencial de qualquer iniciativa empresarial. No entanto, jamais perco o foco do motivo pelo qual exerço essa atividade, e é vitalmente importante que você se recorde disso frequentemente nesse negócio. Se você já gravou na mente que seu trabalho está transformando vidas, você permanecerá motivado, fará as coisas certas e cuidará de seus clientes. E se faz um bom trabalho e mantém as linhas de comunicação abertas com seus clientes, eles farão você se recordar da razão de estar nessa atividade.

Lembro-me de uma época particularmente atarefada nessa área, que me ensinou uma grande lição. Eu estava sendo cada vez mais reconhecido pelo meu trabalho, e estava obtendo uma porção de novas oportunidades. Durante um semestre, tinha contratado dois novos colaboradores, criado quatro novos sites, iniciado dois novos seminários, ganhado uma soma milionária, viajado a dezenas de cidades, lançado um novo programa de treinamento on-line e mudado minha mãe de sua casa em Montana para Las Vegas, após a morte de meu pai. Eu estava esgotado, exausto. Tivemos milhares de problemas novos com os quais jamais nos deparamos e, à medida que crescíamos, começamos a ter alguns clientes que, efetivamente, aproveitaram-se de nossa generosidade. Muitas pessoas estavam furtando nosso conteúdo ou fazendo cópias ilegais dele e as vendendo. O dinheiro estava se esvaindo. No entanto, eu estava tão ocupado que não sentia muito entusiasmo, pois começava a perder o contato com a mágica do que fazemos.

Até que recebi um e-mail de um cliente que fora tocado pelo livro *A vida é um bilhete premiado*. Terminarei este capítulo com ele, pois nos faz recordar de quão significativo nosso trabalho pode ser. De um lugar tão remoto, alguém viu importância em meu trabalho. Em toda nossa insanidade e pressa, às vezes nos esquecemos de quanto nosso trabalho ajuda e inspira os demais, inclusive quando nem sempre o percebemos, e mesmo quando não o ouvimos. Recebo milhares de e-mails de agradecimento por mês, mas esse me deixou arrepiado e verdadeiramente agradecido. Faça um bom trabalho e transmita sua mensagem ao mundo. Até nas ocasiões em que você não sabe que está fazendo a diferença, você está.

Esse é o extrato de um e-mail verdadeiro que recebi. Foi editado no intuito de proteger a privacidade do remetente.

"Brendon, você não me conhece, pois sou apenas um nome em sua lista. Não se preocupe, pois não sou desequilibrado, um caçador de oportunidades ou alguém que pretende lhe vender algo.

Há alguns meses, recebi seu livro. Fiquei inspirado pela sua história e atitude, e realmente admirei suas palavras. Surtiu um efeito profundo em mim. Comentei sobre o livro com alguns amigos próximos, que pensei que poderiam se beneficiar dele.

Há três semanas, numa viagem de carro para ir ao casamento de um parente no interior, contei à minha esposa sobre o livro, enquanto nossos filhos dormiam. Ela é uma daquelas pessoas que nunca se envolvem muito com o que falo, mas também ficou emocionada com sua história e me pediu que lhe emprestasse o livro quando voltássemos.

O casamento foi maravilhoso. No regresso para casa, no entanto, sofremos um acidente de carro, em uma colisão frontal com um veículo em direção contrária que avançou em nossa faixa; minha esposa faleceu instantaneamente e minha filha morreu no dia seguinte, em decorrência de um trauma severo no cérebro.

Enquanto era tratado num hospital, continuei pensando em sua história, e ela me deu esperanças. Tentei escrever de lá, mas não conseguia controlar minhas lágrimas.

Apenas quero lhe agradecer por ter compartilhado sua história comigo, isso me ajudou a lidar com a situação.

Ainda não estou bem e não sei como será o futuro, mas muito obrigado!"

• • •

CAPÍTULO 7

A mentalidade do mensageiro

O que define que o mensageiro milionário seja bem-sucedido? O que é exigido para se obter êxito na indústria de experts?

As pessoas me fazem essas perguntas em todos eventos da Experts Academy e em todas as entrevistas que concedo sobre o tópico. Essas não são perguntas fáceis de responder e eu, expressamente, incentivo para que você se sente e as responda por conta própria. Quais são, segundo você, as exigências para iniciar na atividade e ser vitorioso?

Foram anos de entrevistas com figuras lendárias da indústria e prática de aprendizado para eu poder responder a essas perguntas sem ajuda. O que constatei, a exemplo de muitos antes de mim, é que os grandes sucessos na vida são um jogo interno. De modo geral, têm mais relação com o que você pensa, sente e com sua atitude do que com as ferramentas ou recursos que tem à sua disposição. Sua psicologia e práticas são mais importantes do que qualquer coisa, e essa é a razão por que preferi abordá-las neste e no próximo capítulo.

Acredito que os experts de sucesso têm quatro convicções dominantes que lhes possibilitam, consistentemente, servir, compartilhar, trabalhar e criar. Com essas quatro convicções gerindo suas mentes e suas vidas, eles são orientados a fazer uma diferença genuína e construir um negócio real. Sem essas convicções, os pretensos experts desistem antecipadamente, perdem o foco ou fracassam.

...

Primeira atitude:
minhas experiências de vida, mensagem
e voz são valiosas.

Os psicólogos descobriram há muito tempo que a felicidade, a eficácia e a habilidade para resistir e ter inteligência emocional e social de uma pessoa dependem da própria avaliação de seu valor. De fato, muitos acreditam que a autovalorização é a base sobre a qual formamos a maioria de nossos pensamentos, sentimentos e comportamentos. Pioneiros no movimento da autoestima, incluindo o líder e teórico Nathaniel Branden, nos revelam que a autovalorização é a chave para entendermos e cultivarmos a autoestima e o êxito na vida. Há uma equação comprovada na psicologia: quanto maior sua percepção de valor, mais você se sente capaz e confiante.

O mesmo, certamente, vale para a nossa indústria. Se você não valoriza quem você é e o que tem a dizer, sua experiência de vida, mensagem e voz, nunca terá a sensação ou se tornará confiante e bem-sucedido como um expert. Se você não valoriza sua voz, quem mais o fará?

Eu poderia escrever livros sobre várias pessoas excelentes que deixaram seus ótimos conselhos sucumbirem num diário jogado pelos cantos, pois elas pensavam: "Bem, meu Deus, quem se importa com o que penso?", ou pior, "Quem sou eu para compartilhar o que penso com os outros?". Não conheço nenhum outro maior indicador de baixa autoestima e baixa autovalorização do que a expressão "Quem sou eu…".

Todos os mensageiros milionários têm uma autoestima sólida como uma rocha ou senso profundamente positivo do eu ou ego. Na verdade, até já conheci alguns especialistas que carecem da autoconfiança que você pode imaginar que eles têm. Mas o ponto que os faz serem diferentes das outras pessoas é que eles têm uma vontade imensa de compartilhar e servir.

E é essa vontade, uma necessidade e um desejo psicológico íntimo de compartilhar e servir aos outros com seus conhecimentos, que consolida a convicção do expert de que sua mensagem e voz são valiosas.

De onde provém essa vontade? Você pode ser surpreendido pela resposta.

Muitos observadores de nossa comunidade acreditam que todos os gurus têm um ego enorme que os orienta. Certamente, eles compartilham suas mensagens para se tornarem ricos, recompensados e reconhecidos, certo? É interessante que muitas pessoas malsucedidas ou invejosas pensam isso daqueles que são mais bem-sucedidos, independentemente do setor.

No entanto, após dezenas de entrevistas e de alguns anos no topo dessa comunidade, posso revelar: a vontade do mensageiro de compartilhar suas mensagens não deriva do ego, mas deriva da obrigação. Sim, obrigação.

Embora a maioria das pessoas considere a palavra "obrigação" um termo negativo (eu também considerava), é incrível como muitos gurus a utilizam de um modo positivo. Eles dizem: "Bem, passei por essa grande dificuldade ou por esse evento traumático para compartilhar essas lições com o próximo". Os experts geralmente utilizam a expressão "obrigação moral" ou "convocação" para descrever esse impulso.

Eu me identifico com essa ideia. Do fundo de meu coração, sinto que recebi um presente com o bilhete premiado da vida, minha segunda chance nela, e que esse compartilhamento é meu dever, uma convocação e uma obrigação. Valorizo minha experiência de vida, minha mensagem e minha voz, pois creio que essas coisas me foram dadas de presente. E se Deus e o universo valorizaram suficientemente as experiências que tive em minha vida, então as valorizo o bastante para repassá-las a outras pessoas.

Vários dos meus clientes pensam da mesma forma. Uma *coach* especializada em perdas sentimentais que conheço diz que escolheu essa profissão porque conheceu tantas outras pessoas que estavam tendo dificuldades para lidar com a perda de seus entes queridos que sentiu uma obrigação moral de aconselhá-las ao longo das experiências. Um escritor campeão de vendas me conta que começou a ministrar workshops para novos autores, pois ele levou dez anos suplicando para que agentes e editores publicassem seus livros e não queria que outras pessoas passassem pelo mesmo problema. Um consultor em finanças pessoais disse que, quando jovem, faliu, passou uma década tentando limpar o nome em instituições financeiras e não conseguia deixar de ajudar as pessoas que recebiam aquelas ligações "daqueles bastardos das empresas de cobrança".

Certa mãe me contou que sua família inteira chorava sem parar quando cuidavam dolorosamente de sua filha autista, e que precisava haver mais instrução para mães como ela. Ela disse que sentiu "uma luz brilhar" num dia quando, finalmente, constatou essa deficiência: "Devo dizer às outras mães que elas não devem mais se detestar ou detestar seus filhos, pois há meios melhores de tratar de crianças autistas".

Imagino que as dificuldades da vida têm lhe ensinado um bocado. Os bons e os maus tempos são importantes, e as lições que você aprendeu com eles são profundamente valiosas. Não há dúvidas de que a vida nem sempre tem sido fácil para você. E aposto que nem sempre tem sido clara a razão pela qual você teve de suportar as privações ou por que teve tantos problemas para obter êxitos. Mas, deixe-me fazer a mesma alegação que aqueles que acreditam em tutoria têm alegado durante décadas: se você aprendeu uma lição valiosa na vida ou nos negócios, é sua obrigação compartilhá-la com outros de modo que eles não tenham de passar pelo mesmo drama, luta ou percorrer as mesmas distâncias até descobrir as razões.

Se você acredita nisso, tudo se resume em seguir as etapas que tenho apresentado até o momento. É hora de agir. Você transformará a vida de muitas pessoas.

INDICADORES PARA EXPERTS:

1. Uma razão de eu não estar compartilhando minhas lições de vida com mais frequência com os outros é...

2. Se um de meus amigos usasse uma desculpa como esse motivo, eu diria para ele...

3. Os momentos de minha vida em que tive de conter minha voz foram os de...

4. Os momentos de minha vida quando me expressei abertamente e ajudei as pessoas foram...

...

Segunda atitude:
se eu não sei ou não tenho algo, tentarei
aprendê-lo ou criá-lo.

Nunca duvide de uma pessoa com uma convocação ou obrigação moral: ela descobrirá um meio de compartilhar sua mensagem. Essa dedicação está arraigada na mente de todos os mensageiros milionários que conheço. Independentemente do que eles não sabem ou não tenham, encontrarão um meio de compartilhar suas mensagens.

Eu não sabia quão crítica era essa convicção em minha vida até que comecei a divulgar os trabalhos da Experts Academy. Como qualquer bom profissional de marketing faz, sempre ouço as objeções e preocupações dos meus clientes e o que os leva a rejeitar meus produtos e serviços. Lembre-se, minha academia é focada exclusivamente em autores, oradores, palestrantes, *coaches* e divulgadores de informações on-line. Para absoluta surpresa e descrença, as fortes objeções que as pessoas tinham sobre iniciar um império dos experts incluíam as seguintes asserções:

- Não sei como escrever um livro.

- Não tenho um agente.

- Não sei como ser contratado como orador.

- Não tenho um DVD demo em que ministro uma palestra.

- Não sei como conduzir um seminário.

- Não tenho um planejador de eventos para me ajudar.

- Não sei como captar clientes para sessões de *coaching*.

- Não tenho materiais específicos para *coaching*.

- Não sei como fazer propaganda on-line.

- Não tenho um site...

Quando lhe digo que fiquei chocado ao ouvir essas objeções, realmente foi o que senti. Li os e-mails e comentários em blogues das pessoas em que vi esses tipos de declarações e pensei: "Qual é o problema delas? Um: é o que estou oferecendo para ensiná-las. Mas, dois: ninguém sabe ou tem essas coisas para começar, elas simplesmente começam a descobrir se pondo em ação e seguem em frente!"

Dessa maneira, comecei a ter um entendimento maior da razão por que muitos dos experts empreendedores são tão diferentes. Temos uma convicção dominante que nos permite seguir em frente. Essa convicção é que, independentemente do que sabemos ou temos, nós começaremos, enfrentaremos as dificuldades, experimentaremos, trabalharemos com dedicação e aprenderemos ou criaremos sempre que tivermos de transmitir nossa mensagem ao mundo.

Com esse conhecimento, posso sentar-me, agora, com alguém durante dez minutos e descobrir seu destino como um expert e empreendedor. Se em algum momento ela lamuriar "bem, não sei isso ou não tenho aquilo", sei que fracassará. Não se trata do que eles estão dizendo que não sabem ou do que eles estão dizendo que não têm: de modo geral, é o modo como dizem isso. Se parecer fraco, abatido ou desprovido de energia, então, imediatamente, sei que não aproveitará a chance nessa atividade. Também sei, pelo tom da voz, um bocado sobre sua vida.

Há, também outra distinção expressiva que aprendi: se você olha para um indivíduo bem-sucedido e diz "Bem, certamente, ele pode fazer isso, mas eu não posso", então você está na trajetória da ruína. Pense: indivíduos bem-sucedidos tiveram de começar exatamente como as outras pessoas. Se você tem uma opinião que diz que esses indivíduos são abençoados por Deus, têm mais sorte ou são mais privilegiados que você, vai se dar mal. Mas você pode dizer: "Bem, aquela pessoa atingiu isso, então eu também posso. Eu apenas tenho de entender o que ela e outras pessoas têm feito e seguir suas trajetórias".

1. As coisas que terei de aprender para obter sucesso nessa nova empreitada são...

2. As coisas que terei de criar de modo a começar são...

3. As pessoas nas quais posso me espelhar e seguir para encurtar minha curva de aprendizado são...

4. As desculpas que provavelmente darei durante o caminho que terei de percorrer são...

...

Terceira atitude: não deixarei que minha pequena empresa torne-me limitado.

É duro iniciar um novo empreendimento de negócio, nesta indústria ou em qualquer outra. Gosto de dizer aos empreendedores para que se preparem para o fato de que os primeiros dois anos em qualquer empresa são assustadores, arriscados, exaustivos e frustrantes.

Seriamente, os primeiros dois anos da administração de seu próprio negócio podem ser tanto terríveis como o período mais feliz e prazeroso de sua vida. Você espera que haja um crescimento fantástico, mas os resultados quase sempre são mais lentos que o previsto. Ainda assim, você acha que o desafio, a liberdade, o senso de propriedade e a conexão com seus clientes são notavelmente significativos. Compartilho esse fato, pois é sempre nesse período que os novatos se detêm em nosso setor. Eles começam entusiasmados para compartilhar suas mensagens, mas, como os resultados podem ser lentos, desistem de suas visões. É fácil parar quando sua visão não é prontamente equiparada à sua conta bancária. É fácil parar e se envergonhar quando não se está obtendo uma boa renda nas taxas e níveis desejados.

No entanto, tenho uma mensagem para você: jamais deixe que sua pequena empresa torne-o limitado.

Não desista de sua visão ou se envergonhe porque está iniciando suas atividades.

Lembro de como essa convicção foi decisiva no meu caso, quando acabara de iniciar minhas atividades nessa indústria. Ainda me vejo sentado em um apartamento diminuto em São Francisco, sem dinheiro, pois cada dólar que tinha era para pagar o aluguel e comprar *burritos* de qualidade duvidosa. Eu escrevia numa mesa dobrável, superpequena, de três pernas, que minha mãe usava nos trabalhos de costura. Recordo vivamente o momento em que observava a condensação que se acumulava na tela de meu laptop à medida que o vapor sibilante do aquecedor quebrado esquentava o apartamento. Eu estava elaborando uma newsletter sobre a psicologia do sucesso, que seria enviada a meus insuspeitos amigos, colegas de trabalho e conhecidos, e pensei: "Com quem estou brincando? Quem se importa sobre o que um garoto pobre e tolo tem a dizer sobre o sucesso?".

Lembro ainda qual foi meu próximo pensamento: "Brendon, você está começando pequeno; é o que devem fazer todas as pessoas. Mas você tem uma mensagem poderosa e precisa compartilhá-la com os demais. Você estudou isso, aprendeu um bocado na vida e pode inspirar outras pessoas. Conseguirá ajudar milhões de pessoas algum dia no futuro. Hoje é o seu dia; você deve apenas trabalhar nele. Você é maior que esse apartamento ridículo, pois seus sonhos não têm limites".

Para muitos, essa pode parecer uma história sentimentaloide, mas ela é importante. Você deve ter uma grande visão para si mesmo e sua mensagem, apesar de suas circunstâncias atuais, que vão impulsioná-lo para a ação e as realizações. Jamais se esqueça de que todos os bons resultados surgem lentamente. Embora você esteja esperando pelo aparecimento da grande oportunidade, apenas lembre-se de como seu trabalho é importante e a quantas pessoas servirá um dia.

Mesmo que você se sinta preso a sua realidade atual, mantenha suas visões num alto nível. Acredite em seu potencial e num formidável futuro para si próprio. Isso tornará a passagem pelas primeiras etapas mais fácil e o sustentará quando você cambalear. Fui inspirado a acreditar nisso por

Marianne Williamson, que tem ministrado palestras em meus eventos. Ela é uma das grandes escritoras e instrutoras de nossa comunidade. Sua mais famosa citação, do livro *Um retorno ao amor*, fala por si:

"Nosso medo mais profundo não é o de sermos inadequados, mas sim de termos um poder incomensurável. É nossa luz, não nossa escuridão, que mais nos apavora. Perguntamos a nós mesmos: Quem sou eu para ser brilhante, bonito, talentoso, fabuloso? Na verdade, quem você é para não ser? Você é um filho de Deus. Sentir-se envergonhado não serve ao mundo. Não há nada iluminador em se encolher para que outras pessoas não se sintam inseguras à sua volta. Todos nós fomos feitos para brilhar, como as crianças fazem. Somos talhados para tornar manifesta a glória de Deus que reside em nosso interior. Não está apenas em alguns de nós; está em todas as pessoas. E, à medida que deixamos nossa própria luz brilhar, inconscientemente damos aos outros a permissão de fazer o mesmo. Quando somos liberados de nosso próprio temor, nossa presença automaticamente libera os demais".

INDICADORES PARA EXPERTS:

1. Uma visão fantástica que tenho para mim mesmo nesta indústria é...

2. Quando passei por tempos difíceis, sempre me recordo de...

3. Para assegurar que não me limito na vida ou nesse negócio, farei...

4. Para desempenhar um papel mais grandioso, terei que parar de...

...

Quarta atitude:
aprendizes primeiro, instrutores depois, servidores sempre.

Todos os especialistas que conheci acreditam de coração que são aprendizes e pesquisadores. Discorrem sobre todos os livros que leram, parecem pesquisar interminavelmente, frequentam seminários, ouvem e entrevistam pessoas. Eles se orgulham de suas habilidades de aprender e sintetizar ideias realmente boas que ajudem as pessoas a melhorarem suas vidas ou desenvolverem seus negócios. Embora possam não ter diplomas em nível avançado, são os melhores estudantes do mundo.

Essa é uma convicção importante, pois muitas pessoas que depreciaram a palavra expert o fizeram porque pensavam que eram os "únicos experts". Essas pessoas, a quem não chamaria de experts, operam pelo ego e não pelo chamado, e pensam que sabem tudo. Elas dão uma grande importância a se colocarem como a "autoridade" num assunto, mais por orgulho e ganho pessoal do que para servir. Param de aprender, de colaborar com outras comunidades de experts e, definitivamente, perdem contato com as melhores práticas correntes e até com a realidade.

Para evitar isso, é importante que você sempre siga esse mantra da Experts Academy: "Experts são aprendizes primeiro, instrutores depois, servidores sempre".

Se você não leu pelo menos seis livros no último semestre sobre o tópico de sua expertise, não está prestando atenção em nosso mantra. Se não tentou entrevistar pelo menos dez pessoas sobre seu tópico neste ano, não está prestando atenção em nosso mantra. Se não está fazendo buscas ativas na internet, em jornais, revistas e estantes de livrarias para obter informações sobre seu tópico, também não está prestando atenção em nosso mantra. Em primeiro lugar, está deixando de ser um estudante. Desse dia em diante, deve se comprometer a estudar de forma mais consistente e disciplinada, e a dominar o seu tópico.

É hora de fazer da vida o seu próprio laboratório de aprendizagem. Deve começar a fazer anotações sobre pequenas interações que você tem, e também sobre as grandes. Procure lições em todos os momentos e as registre num diário. Lembro-me de ter aprendido o valor desse método com meu professor de jornalismo no ensino médio. Passadas algumas décadas, eu o reconheci na prática com meus amigos Tony Robbins e Jack Canfield, dois dos tomadores de notas mais diligentes e produtivos que conheci em minha vida.

Os mensageiros milionários têm essa interessante mentalidade e pensam em si seja como estudantes, seja como professores. Eles adotam a identidade de instrutores da mais alta qualidade. A exemplo de grandes educadores, estão constantemente tentando criar formas de ensino, metáforas, estruturas, atividades e planos de aula fortes e atrativos, que possam ajudar seus orientandos a obter sucesso. Carregam sempre diários e tomam notas sobre o que veem e aprendem com a vida, e o que possa habilitar outras pessoas. Para eles, preparar novas aulas e praticar novos meios de ensino é tanto um jogo como uma carreira.

Pessoalmente, pratico obsessivamente a elaboração de novas aulas num estilo jornalístico. Cada livro que compro tem incontáveis anotações nas margens, que me fazem rememorar conceitos importantes, que posso ensinar ou transmitir ao meu modo. Faço abundantes anotações em cada seminário que assisto e sempre procuro por um ponto de vista único que possa ser repassado como ensino. Uma grande parcela do que tenho decidido ser na vida é atuar como professor. Pergunte a qualquer pessoa sobre mim e elas lhe dirão que estou sempre anotando novas ideias e praticando novas estruturas. Tornar-se um expert não é uma tarefa pontual, é uma prática para toda a vida.

Finalmente, tudo isso remonta a ser um servidor. É praticamente impossível nos dedicarmos a uma vida de aprendizado e ensino a menos que tenhamos uma razão para aprender e ensinar. Essencialmente, essa razão é ajudar outras pessoas a resolverem seus problemas e atingirem seus potenciais. É incrivelmente importante permanecer conectado com a razão pela qual você está fazendo seu trabalho. Em tempos de estresse ou frustração, a motivação real para atuar profissionalmente é, geralmente, a única coisa que o faz prosseguir.

INDICADORES PARA EXPERTS:

1. Para me sentir mais como um aprendiz na vida, eu teria de...

2. Meu plano para aprender mais sobre meu tópico é...

3. Meu plano para capturar as lições do dia a dia, que posso ensinar aos demais, é começar a...

4. Sinto que deveria aprender tudo isso e ensinar o que sei porque...

...

Quinta atitude: dominar um tópico é um estilo de vida.

Há dois tipos de pessoas no mundo. Ambas recebem a graça de entrar num campo aberto, imenso e verde de oportunidades, sob o qual repousam vastos tesouros. Uma pessoa lança um olhar pelo campo, apanha qualquer pá disponível e começa a cavar um buraco no solo em busca de ouro. Quando começa a escavar, descobre que: (a) não está encontrando ouro tão rapidamente quanto pensava ou (b) não há tanto ouro como pensava; para de escavar e move-se até outro ponto aleatório no campo. Então, apanha uma nova ferramenta ou pá sofisticadas, e escava mais uma vez em busca de ouro. Novamente, fica desapontada, de modo que muda seguidamente de lugar. No fim da vida dessa pessoa, seu campo de oportunidades se parece com um punhado de furos semiescavados.

A outra pessoa, no entanto, ataca o campo de oportunidades diferentemente. Ela mapeia o horizonte e decide o ponto em que gostaria de cravar uma estaca na vida. Ela também começa a cavar o solo em busca de ouro. Também descobre que: a) não está encontrando ouro tão rapidamente quanto pensava ou (b) não há tanto ouro como pensava. Mas esse é o ponto em que seu destino se desdobra distintamente do de seu par pouco concentrado: ela continua a cavar e pensa em voz alta: "Há um pouco de ouro aqui, talvez não tanto como eu pensava no início, mas há efetivamente ouro". Ela continua a escavar, trabalhando com afinco, permanecendo focada e, em pouco tempo, alcança a "grande bolada", aquele filão de ouro que é mais abundante e inspirador do que jamais fora imaginado. Firma um alicerce lá ou um cercado se você desejar.

E, então, move-se para outro ponto, alinhada com seu êxito anterior, e escava profundamente mais uma vez, montando outra base e outro cercado de riqueza. No fim da vida dessa pessoa, seu campo de oportunidades se parece a uma linha de fortificações que se estendem sob o pôr do sol.

De modo geral, apresento essa alegoria na Experts Academy para fazer lembrar às pessoas que uma vida de atuações atabalhoadas em dezenas de tópicos ou atividades frequentemente leva ao fracasso, enquanto uma vida de domínio leva à riqueza.

Em nossa indústria, é tentador ser um expert que "cubra todos os campos", a pessoa que sabe e faz tudo. Essa é a razão pela qual tantos pretensos experts fracassam. Eles se distraem, começam as coisas parcialmente, desistem cedo demais e vão fazer outra coisa ou buscam uma nova oportunidade. Todavia, aqueles que obtêm êxito são os que preferem explorar e dominar profundamente seus tópicos. Eles focam em uma oportunidade de cada vez e a exploram profundamente, trabalhando por anos até criar uma base sólida. Eles entendem o valor do trabalho árduo, e não têm receio de sangue, suor e lágrimas ao minerar uma oportunidade valiosa. Acreditam, mais do que ninguém, que uma vida de atuações atabalhoadas é uma vida de distração, e uma vida de domínio representa uma vida de significado.

Essa ênfase em dominar um tema possibilita que você continue centrado, supere dificuldades, torne-se um verdadeiro expert em seu campo e administre um negócio verdadeiro construído com trabalho árduo e dedicação.

INDICADORES PARA EXPERTS:

1. A área na qual vou me concentrar no próximo um ano e meio é...

2. As coisas nas quais vou parar de me concentrar neste momento são...

3. Os momentos em que perco meu foco e saio da trajetória são...

4. Se daqui a 12 meses recordasse todo esse período, saberia que tinha permanecido na trajetória se pudesse ver que...

• • •

CAPÍTULO 8

Os requisitos do mensageiro

O capítulo anterior orientou-o no sentido de que você desenvolva a mentalidade apropriada e necessária para compartilhar sua mensagem e, paralelamente, construa uma empresa genuína.

Se essa é a forma como os experts pensam, isso me é frequentemente perguntado, então como é que eles fazem? Em que áreas mostram excelência e o que realmente praticam?

Sob muitos aspectos, o conjunto de aptidões que os experts devem dominar refere-se especificamente ao veículo em que preferem transmitir suas mensagens. Os oradores devem desenvolver capacidades de apresentação e persuasão. Os palestrantes de seminários devem ser ótimos em facilitação; os *coaches* devem ser excelentes ouvintes e influenciadores, e assim por diante.

Embora possa parecer simples, nossa comunidade tem uma perspectiva decididamente desastrosa sobre o desenvolvimento de competências: na realidade, ela não tem nenhuma. À diferença de outras indústrias, nossa comunidade não adotou esse tipo de desenvolvimento, essencialmente porque não temos visto nossa convocação como uma escolha legítima de carreira.

No setor corporativo, os empregadores e empregados consideram o desenvolvimento de competências de uma forma muito séria. Os futuros empregados avaliam potenciais empregadores com base no grau de treinamento e desenvolvimento de competências que receberão no trabalho. As companhias investem quantias bilionárias e têm um enorme número de funcionários em seus departamentos de recursos humanos e de desenvolvimento organizacional para criarem elaboradas "trajetórias de carreira", programas de treinamento e oportunidades de desenvolvimento de competências.

Porém, estranhamente, nosso setor raramente fala ou se concentra no desenvolvimento de competências. Uma razão da existência dessa triste realidade é a conveniente falácia em nossa comunidade que diz: "Você pode terceirizar tudo e ser o talento". Essa mentira tem custado, a milhares de experts em atividade, a perda de quantias milionárias e do controle sobre seus destinos. Se você quer controlar seu futuro em qualquer carreira ou indústria, incluindo a nossa, é necessário desenvolver competências reais no que está fazendo.

Por ter vindo do mundo corporativo, ataquei a formação de competências nessa indústria com zelo e dedicação. Esse atributo realmente me colocou em destaque e me deu uma grande parcela de controle e confiança em meu futuro.

Em 2007, concluí que o vídeo on-line seria o modo de comunicação dominante para os experts no futuro. Naturalmente, já era um pouco tarde para se reconhecer esse fato, mas lembre-se de que ainda não existia uma boa tecnologia, confiável e acessível, para o *streaming*[5] de vídeos de formatos mais longos. A tecnologia para o formato mais curto já existia, mas nossos vídeos têm, de modo geral, uma hora ou mais de duração. À época, havia poucas pessoas efetivamente utilizando vídeos em promoções ou programas de treinamento on-line.

Por causa das novas tecnologias de streaming, foi possível postar vídeos de treinamento e replays de *webinars* que tinham uma hora de duração ou mais. Essa foi uma revolução no jogo. Naquela época, um pequeno grupo de experts em marketing digital começou a sinalizar e informar a nossa comunidade para que prestássemos atenção no uso de vídeo em nosso marketing, incluindo Frank Kern, Andy Jenkins e Mike Koenigs. Porém, enquanto escrevo este livro, a maior parte dos

---

[5] Tecnologia que agiliza o processo de transmissão de dados via web (N. E.).

experts ainda não está usando vídeos, muito embora eles mesmos tenham revelado que é o meio mais eficiente e lucrativo para a nossa indústria. Isso acontece por quê?

Porque poucos experts visualizam o horizonte de nossa indústria e perguntam: "Que novas competências desenvolverei para continuar relevante, conectado e efetivo?". As pessoas fazem essa mesma pergunta invariavelmente no mundo corporativo, mas não com muita frequência no mundo do empreendedorismo.

No caso do vídeo on-line, muitos experts de ponta pensavam: "Sim, o vídeo será importante algum dia. Eu meramente o terceirizo". Isso significa que terceirizar no mundo do empreendedorismo geralmente equivale a contornar esse problema e encontrá-lo no futuro.

No entanto, usei o vídeo de uma forma muito diferente. Eu imaginava: "O vídeo está se tornando muito importante em nossa indústria e, portanto, será importante para o meu sucesso a longo prazo nesse setor. É melhor aprender sobre isso e desenvolver competências neste exato momento". Com isso em mente, participei de algumas aulas gratuitas sobre gravação de vídeos que eram oferecidas por uma escola de arte local. Pesquisei sobre gravação, edição e postagem de vídeos. Enviei e-mails a pessoas que estavam utilizando vídeos em suas peças de marketing on-line perguntando como era o trabalho.

Mais importante, tomei uma atitude e comprei uma câmera de vídeo *flip* de baixo custo; então, comecei a filmar vídeos em meu apartamento. Meus primeiros vídeos foram justamente cenas em que olho para a câmara e ensino alguns conceitos básicos sobre desenvolvimento pessoal. Eram horríveis. Realmente horríveis. Mas, na primeira vez em que andei de bicicleta não fui tão bem também; então, me aproximei do vídeo exatamente como se fosse andar de bicicleta ou desenvolver qualquer outra habilidade, ou seja, você melhora com a prática.

Hoje utilizo vídeos on-line para divulgar meu império, que é provavelmente o mais falado na indústria. Somente com vídeos, às vezes diretamente com a própria câmera e outras vezes com tecnologias de captura de tela para PowerPoint, tenho obtido grande sucesso. Em um ano, utilizei vídeo exclusivamente em promoções extras de dois milhões de dólares. Filmei, em média, um vídeo por semana, e estes agregaram um valor impressionante ao meu público ou na aplicação de *coaching* com meus clientes. Nada mal para um garoto que começou com um equipamento *flip*!

Não quero impressioná-lo, mas sim transmitir a importância de identificarmos um conjunto de competências que serão importantes ao sucesso de longo prazo e que nos ajudam de maneira consistente e diligente para que consigamos desenvolvê-las. O vídeo era importante para meu futuro, de modo que decidi dominar as técnicas. Apliquei essa mesma dedicação a outras áreas de competência que são importantes para meu sucesso de longo prazo, incluindo a codificação HTML, copyright, desenvolvimento de produtos, persuasão e design gráfico.

Siga minhas palavras: se algo for importante para seu sucesso a longo prazo, não o terceirize, domine o assunto. Seu sucesso é estimulado por suas competências.

De modo geral, digo que todos os profissionais em nossa indústria devem desenvolver competências na escrita, especificamente nos copyrights específicos de marketing; na oratória e persuasão; na facilitação de grandes grupos; no *coaching* de indivíduos para que atinjam suas metas; na filmagem e edição de vídeos; na preparação de blogues e nas mídias sociais. Isso pode parecer um bocado de coisas a aprender, mas eu, pessoalmente, desenvolvi fortes proficiências em cada uma dessas áreas em menos de quatro anos. Será que quatro anos valem uma existência de confiança em sua carreira? Eu diria que sim. O grande benefício em nosso setor é que, de qualquer forma, você está desenvolvendo a maioria dessas competências no trabalho à medida que promove sua mensagem. Para disseminar sua mensagem, você pode fazer o seguinte:

- Criar um blogue e um perfil nos sites de mídia social.

- Escrever alguns posts e artigos para suas páginas nesses sites.

- Filmar, editar e postar vídeos nesses sites.

Ao fazer essas coisas, você desenvolve competências. Ao empreender ação, lutar contra dificuldades, constatar achados, perguntar bastante e persistir, você tem domínio sobre seu negócio.

Além das habilidades já mencionadas, acredito que os experts mais bem remunerados focam a maior parte de seu tempo no desenvolvimento e na prática de cinco competências que denomino de "Requisitos do mensageiro". São competências únicas que você deve desenvolver para obter sucesso em nossa indústria. Chamá-las de competências é uma designação incorreta, pois elas podem ser vistas mais como esforços ou tarefas do que como competências. Independentemente do que possam ser, os cinco requisitos a seguir representam minha resposta à pergunta frequentemente feita: "O que devo fazer nessa indústria e no que devo realmente ser bom a fim de obter sucesso?".

...

Primeiro requisito do mensageiro: posicionamento

Todos os experts devem se tornar habilidosos no que denomino posicionamento na indústria. Esse é meu termo mais abrangente para desenvolver um senso adequado de: (a) o que seu público quer e (b) o que se exige para assegurar que você e seu conteúdo continuem a ter uma boa reputação com seus clientes e demais experts em nossa comunidade. Se você não for bem posicionado nesse setor, como em qualquer carreira ou função, não será possível progredir. Você precisa assegurar que está falando para a audiência correta e que as pessoas notam e, rapidamente, reconhecem seu valor em comparação com outros players de seu nicho de mercado.

Vamos começar com um bom posicionamento diante de sua audiência. Devemos, então, prosseguir dizendo que você precisa saber quem é sua audiência e o que ela quer. Assim que souber isso, deverá, frequentemente, fornecer informações extraordinariamente úteis e facilmente acessíveis para ela. Quanto menos você contata sua audiência, mais baixo está posicionado. Se você não está no topo de suas lembranças, você não é relevante ou lembrado. Se não ouve com frequência a frase a seguir de sua audiência, está fazendo um trabalho terrível para se posicionar: "Uau, não vejo a hora de comprar seu próximo (vídeo, newsletter)! Sempre que vejo seu nome na minha caixa de entrada, é o primeiro e-mail que leio!".

Você também tem de se posicionar intencionalmente a outros experts. Sei que "posicionar" é uma palavra esquisita, então, permita-me ilustrar esse conceito. Quando decidi começar a orientar em seminários de desenvolvimento pessoal, comecei a pesquisar meus prováveis competidores, mas, na verdade, não considero ninguém um competidor em nossa comunidade, pois somos todos únicos. Eu queria saber quem mais estava ensinando meus tópicos, o que estavam ensinando, como estavam ensinando, como anunciavam seus programas, quanto cobravam e qual o design de seus sites. Cadastrei-me nas newsletters de todos eles, comprei seus produtos e participei de seus eventos. Enquanto fazia isso, pensava, constantemente, sobre como era diferente e como queria ser percebido. Quando, finalmente, concluí que conhecia a indústria suficientemente bem, tive escolhas difíceis a fazer, as mesmas que deve fazer qualquer expert em atividade: como explico o quanto sou diferente? Por que meu conteúdo é valioso? Quanto devo cobrar? Em que nível desejo atuar?

Ao escolher as respostas a essas perguntas, eu estava essencialmente formando meu posicionamento na indústria. Se não conseguisse responder às perguntas de forma inteligente e reflexiva, seria como qualquer outro expert e ninguém notaria minha presença (ou compraria meu programa). Assim, passei bastante tempo diferenciando a mim e a meu conteúdo, proposital e estrategicamente. Você deve fazer o mesmo.

Também escolhi uma trajetória razoavelmente controversa. Apesar de ter acabado de iniciar as atividades na indústria, decidi me posicionar no topo dela cobrando o mesmo valor, senão maior, do que os grandes nomes nos nichos de desenvolvimento pessoal e de crescimento de negócios. Fiz isso por várias razões. Ao compartilhá-las, arrisquei parecer egoísta, mas espero que agora você perceba que não tenho um ego grande. Apenas penso que contar meu processo reflexivo pode ajudar-me a defender o ponto que quero.

Primeiro: escolhi cobrar preços elevados porque sentia que minha história e minhas estratégias para o sucesso eram únicas e transformadoras. Vi o efeito que elas tinham nos outros e os resultados eram excelentes.

Segundo: meu conteúdo sintetizava um número enorme de "melhores práticas" que eu sabia serem abrangentes e pioneiras. Essencialmente, eu também sabia que meu conteúdo fora estruturado de forma muito prática e facilmente acessível. A reclamação mais frequente que escutava no setor, naquela época, era a de que a maioria dos seminários ou era muito conceitual, ou era muito exagerado. As pessoas queriam um treinamento mais próximo do mundo real, então estruturei todo o meu conteúdo para atender a essa demanda. Aprendi muito sobre programas de aprendizado e treinamentos da mais alta qualidade dedicados a adultos quando trabalhei como consultor na Accenture, e trouxe essas lições para a minha atividade na indústria de experts.

Terceiro: percebi que minha presença e meu estilo de apresentação eram distintos e mais envolventes do que os dos outros. Isso pode parecer algo esquisito e pomposo de se dizer, mas, pessoalmente, achei que a maioria dos experts e apresentadores era tragicamente estoica, monótona e repetitiva. A realidade é que a maior parte das pessoas simplesmente não se esforça para ser um bom ator. Eu acreditava que esse fato era uma ótima oportunidade para destacar meu estilo acessível, animado, entusiasmado, presente e autêntico. Passados alguns anos, na Experts Academy, Paula Abdul falaria para os espectadores que ela me amava, pois eu era um "chihuahua que merecia ser paparicado".

Quarto: escolhi conduzir meus seminários baseando-me mais em conteúdo de treinamento do que em animar exageradamente as pessoas com afirmações que serviam somente para lhes vender uma dezena de novos programas. Essa foi uma distinção crítica em minha carreira, talvez a marca registrada de meu sucesso. Naquela época, muitos seminários eram eventos de um único dia que serviam para vender às pessoas outros programas de preço elevado. Ou eram uma fileira de oradores que vendiam de tudo no palco. Esses "festivais de vendas" eram arrasadores, por serem incrivelmente lucrativos, e participei de muitos. Mas logo vi que não tinham futuro.

Tomei uma decisão financeira de organizar seminários de treinamento com formato mais longo, eventos de três a quatro dias. Decidi, também, vender menos programas no palco, favorecendo novamente o conteúdo e o treinamento.

Quinto: constatei que meu material de treinamento e meu enfoque para eventos presenciais e para negócios eram muito diferentes do padrão. Colocado de forma simples, eu era obsessivo sobre qualidade e excelência enquanto muitos outros, senão a maioria, aparentemente não tinham a mesma preocupação. Como exemplo, a maior parte dos seminários do setor era realizada em hotéis baratos. Os folhetos e materiais distribuídos aos participantes eram impressos em papel de má qualidade e consistiam basicamente de fotocópias encadernadas. Pior de tudo, não se preocupavam com o ambiente e a música. Decidi alugar hotéis mais agradáveis e salões de conferência com janelas. A iluminação era mais clara, distribuíamos folhetos e manuais encadernados de alta qualidade e focávamos num melhor som e iluminação. Trouxe um nível maior de profissionalismo corporativo e dedicação para detalhar minha marca, e isso foi rapidamente percebido pelos clientes e pessoas da nossa comunidade.

Finalmente, decidi conhecer todos os outros líderes de ponta em minha indústria. Aproximei-me deles em suas organizações e me ofereci para agregar valor, entrevistá-los, discursar em seus palcos, citá-los em meu trabalho, promover seus produtos e também convidei-os para participarem profissionalmente em meus eventos. Fiz amizade com praticamente todos os outros experts mais influentes do setor. Eles, então, começaram a me promover para seus públicos, o que melhorou ainda mais meu posicionamento à medida que audiências maiores começaram a ver minha afinidade e afiliação com os "grandes nomes".

Tudo isso me levou a acreditar que eu era diferente o bastante para cobrar valores mais altos. E foram esses pontos de distinção e os níveis de preços que me posicionaram no topo da comunidade de experts. Em um ano, após começar meus seminários, lotávamos todos os eventos. Isso aconteceu em um período de baixa econômica, e a maioria dos experts enfrentava dificuldades para lotar eventos presenciais.

A conclusão tirada aqui é que seu grau de distinção e quanto você cobra e permanece conectado com seus iguais têm uma importância vital para seu posicionamento em nossa comunidade. Você deve ser incrivelmente consciente desses itens, pois sua meta é rápida, estratégica e elevar sua presença em nossa comunidade, de modo a se destacar, atrai mais clientes e cria uma marca da qual seus iguais querem fazer parte e promover.

De modo geral, falo a meus clientes que eles têm de se posicionar estratégica e consistentemente sob três modos para se destacarem. Primeiro: têm que se posicionar como uma fonte confiável sobre o seu tema. Como você faz isso? Você disponibiliza seu conteúdo valioso gratuitamente no mercado e on-line para que as pessoas possam ver quem é você e como é diferente. Você cria e distribui postagens em blogues, vídeos, *webinars*, telesseminários, podcasts e e-books. Obviamente, não é preciso fazer todos eles, mas você precisa transmitir sua mensagem ao mundo. E, sim, você deve disponibilizá-los gratuitamente para que as pessoas consigam ter uma ideia de quem é você e do que faz.

Segundo: eles precisam posicionar suas informações como conteúdo de treinamento da mais alta qualidade. Precisam ser certeiros e diretos quando dizem aos clientes: "Ei, rapazes, essas são as pesquisas e os resultados mais recentes que reuni. Este é um material de vanguarda e o estruturei para que você possa entendê-lo e implementá-lo rapidamente". Quanto mais diligente você é na criação de ótimos treinamentos, mais as pessoas o verão como um provedor de conteúdo de alto valor. Minha dedicação a esse conceito tem ajudado meus produtos e programas a se venderem sozinhos, e tem trazido pessoas de todas as partes do mundo para o nosso treinamento. Quando as pessoas sabem que seu conteúdo é o melhor do mercado, elas confiam nele, acreditam e o compram de você.

Finalmente, aconselho os clientes a ficarem muito próximos dos outros experts em seus campos. Participem de seus seminários, misturem-se com eles nas conferências, juntem-se a seus planos, façam promoções conjuntas e se ofereçam para agregar valor a eles e a seus negócios. Como em qualquer segmento, você prospera em alguns níveis dependendo de quem conhece e com quem está associado. Assim, passe o tempo com pensadores influentes, entreviste-os para o seu público e peça-lhes para que façam o mesmo com você. Crie ótimos relacionamentos. Entre no círculo dos gurus e garanta o seu lugar.

Posicionar a si mesmo e ao seu conteúdo inteligentemente é tanto uma habilidade como um requisito para obter sucesso na indústria. Esse trabalho resume-se a gerar distinção, valor e uma boa reputação no setor. Foco nisso em toda comunicação que envio e em todo programa que desenvolvo. Você também deveria fazer isso.

Indicadores para experts:

1. As lições que aprendi agora sobre posicionamento são...

2. As etapas que empreenderei para me posicionar nessa indústria são...

3. Os profissionais de quem preciso me aproximar nessa indústria são...

4. O modo como quero ser percebido nessa indústria é...

...

Segundo requisito do mensageiro: empacotamento

Mensageiros e experts são os criadores de conteúdo no nível mais básico. Descobrimos o que querem nossos clientes e o que melhoraria suas vidas ou desenvolveria os seus negócios e, então, partimos para o campo e criamos alguns produtos ou programas informativos que servirão a eles. Nós somos criadores.

A exemplo do posicionamento, criar e compartilhar ótimas informações, que sejam valiosas para as pessoas, é uma habilidade e um requisito para experts. Gosto de utilizar o termo "empacotar" para descrever três atividades que nos possibilitam construir um negócio real com grande reputação.

Primeiro, os experts devem aprender a embalar suas informações de um modo que possa ser facilmente entendido e implementado por seus clientes. Apesar das melhores tentativas de a mídia forçar os experts a refinarem seus conselhos em três a cinco dicas, o empacotamento de nossas recomendações não é assim tão simples.

Esboçar, agrupar, ordenar e estruturar nossa mensagem são habilidades que levam tempo para serem aperfeiçoadas. A realidade é que a maioria das pessoas não tem ideia de como, inclusive, refletir sobre a vasta quantidade de conhecimento que tem sobre a vida ou os negócios. Elas nem mesmo sabem transmitir suas recomendações para que as pessoas possam entendê-las suficientemente bem para utilizá-las. E elas raramente sabem como apresentá-las de um modo que os clientes percebem-nas como engajadoras e habilitadoras.

Ensino bastante sobre criação de conteúdo na Experts Academy, mas deixe-me contar minha distinção favorita na criação e estruturação de conteúdo altamente valioso.

Você já se perguntou por que um professor de faculdade recebe menos que um consultor profissional? Ou por que um guru de auto-ajuda recebe mais que um terapeuta ou um conselheiro? Obviamente, essa diferença tem uma correlação muito grande com o posicionamento no mercado. Tem também a ver com como eles apresentam apropriadamente suas informações.

O professor de faculdade cria e compartilha informações a exemplo de todos os experts. O campo do professor geralmente reside em compartilhar conceitos e teorias sobre um determinado tópico. O ordenamento de suas informações é alavancado para ajudar os alunos a ganharem uma perspectiva ampla de um dado tópico para que possam entendê-lo e para que desenvolvam competências de pensamento crítico. Forçado pelo tempo e pela tradição, o professor faz altos voos, dando um panorama geral de seus tópicos num nível mais amplo. Aprender e pensar são os resultados.

O consultor profissional aborda o ensino de maneira muito diferente. Ele foca menos no conceito e na teoria, e mais no processo e na metodologia prática. O ordenamento de suas informações é gerido por processo e sistema, alavancado para ajudar os aprendizes a se moverem direta e eficientemente, passo a passo, de um ponto para outro. O objetivo não é tanto ajudá-los a desenvolver competências de pensamento crítico como seria para consolidar uma habilidade efetiva ou um conjunto de habilidades para atingir um resultado específico. Livre das restrições do sistema de ensino tradicional, o consultor atua diretamente e aborda o que os aprendizes fazem para implementar conceitos e teorias em todas as frentes de trabalho. Implementar processos e obter resultados são os efeitos.

Agora, antes de começar a receber e-mails dos estudiosos espalhados pelo mundo apontando quão errado estou, deixe-me qualificar o exemplo que acabei de dar. Primeiro, é uma conceitualização e generalização pretender ilustrar um ponto. De forma alguma estou sugerindo que os professores não sejam tão valiosos, competentes, bem-intencionados, capazes ou, nessa questão específica, tão voltados para os processos como os consultores. Apenas para constar, sou um defensor ferrenho do ensino formal, sou produto de uma educação em artes liberais e, pessoalmente, desejo que todas as pessoas tenham a oportunidade de obter um diploma de ensino superior. A faculdade foi, sob muitos aspectos, o tempo em que mais me desenvolvi e o mais apreciado de minha vida. Acredito que todos os meus professores de faculdade e educadores devem receber dez vezes mais do que efetivamente recebem.

No entanto, espero que você entenda o ponto em minha comparação. Certo ou errado, aqueles que ensinam processo e soluções implementáveis são mais valorizados no mercado do que os que ensinam conceitos e teorias. Instruir com informações passo a passo é mais valioso do que instruir dando uma visão geral. Se alguém, especialmente um cliente que jamais encontrou você pessoalmente, está a ponto de comprar seus produtos ou programas informativos, ele quer saber se obterá recomendações e informações que pode seguir e que o levarão, diretamente, de um ponto a outro.

Não consigo enfatizar isso suficientemente. Tenho ajudado clientes a elevar seus preços em dez vezes em dezenas de tópicos, aconselhando-os a criar um sistema mais claro e aplicável, de modo que seus consumidores possam segui-lo para resolver um problema e atingir um resultado muito específico.

Portanto, para apresentar convenientemente suas informações, você deve ser mais objetivo naquilo que seu cliente deseja superar e alcançar. Em seguida, deve criar um processo passo a passo que mostre a ele como atingir suas metas. Quanto melhor você faz isso, mais valor agrega. Quanto mais valor agrega, mais pode cobrar. Quanto mais valor e mais pode cobrar, você está mais bem posicionado.

Segundo, os experts precisam aprender a "empacotar" bem seus produtos. Se você está pronto para criar um programa de áudio de seis discos com transcrições e livro didático, ele deve ter um layout lógico e um design bonito. Esse deveria ser o padrão, mas como muitos experts em atividade estão apenas começando, eles pulam essa parte e fazem tudo com má qualidade. Pessoalmente, considero que 80% dos produtos em nosso setor têm uma aparência horrível. A exemplo da reviravolta feita pela Apple, reinventando o design e o toque nos computadores pessoais e nos dispositivos móveis, os experts deveriam fazer o mesmo para tornar seus produtos atraentes.

Para os que se preocupam com o design de seus produtos, animem-se. É muito simples trabalhar com um designer gráfico ou designer de produto; a mensagem é que, como dono de seu império, você precisa certificar-se de que todos os detalhes estejam impecáveis.

Finalmente, os experts devem aprender a "empacotar" bem a si mesmos. Você tem de se apresentar a todos como uma pessoa muito organizada, articulada, amável, confiável, feliz e saudável. Trata-se de uma dura realidade para muitos engolirem, mas a aparência é importante. Se você é um indivíduo não inspirador e relaxado, as pessoas não desejarão segui-lo. Se você não cuida de si nem segue seus próprios conselhos, por que alguém acreditaria ou compraria algo de você?

Para os que se preocupam obsessivamente com aparência e beleza, saibam que essa não é uma indústria de bonecos e bonecas da dupla Barbie e Ken. Você não precisa se parecer com um modelo de capa de revista ou com uma estrela cinematográfica para ter sucesso. Deus sabe que minha boa aparência não é a razão pela qual cheguei nesta posição. A maioria dos experts em nossa comunidade tem uma aparência bastante normal, como a de seu vizinho. A diferença é que os experts mais bem remunerados transpiram sucesso, pois eles, pessoalmente, identificam-se com o sucesso e se vestem e se conduzem como profissionais bem-sucedidos.

Se você quer se destacar na indústria, vista-se bem, fale bem e se conduza bem. Projete a força, a energia e o entusiasmo sobre o mundo. Não tente ser algo que você não é e, por favor, não seja outra pessoa barulhenta e desequilibradamente carismática. Seja apenas autêntico, sempre, especialmente quando estiver sob os holofotes. Nas fotografias, nos sites, vídeos, produtos e nas apresentações, exiba o que há de melhor em você. Isso é essencial para sua marca e seu posicionamento. Nunca se esqueça de que você é um modelo de comportamento para os demais e boa saúde e energia são atributos que todos nós devemos refletir ao mundo.

Indicadores para experts:

1. As lições que aprendi aqui sobre apresentar-me apropriadamente são...

2. Quando criar minhas informações e meus produtos vou empacotá-los de modo que eles sejam...

3. O modo como quero que minha marca seja exibida ao mundo mostra-me como uma pessoa que é...

4. As ações que vou executar para me manter em forma física, saudável e com energia são...

...

Terceiro requisito do mensageiro: criação de promoções

Assim que você criar seu posicionamento e seu empacotamento, é hora de alertar o mundo para quem você é, o que você ensina e o que oferece. É tempo de se autopromover.

Aposto que isso faz você entrar em pânico. Eu sempre brinco que, se fosse verdade que os experts são movidos pelo ego, eles não teriam tanto medo de se autopromover. A realidade é que a maioria dos especialistas em atividade fica apavorada com a ideia de "marketing". A boa notícia, no entanto, é que o marketing em nossa indústria é muito diferente do que muitos esperam.

Antes de tudo, deixe-me acabar com um mito. Muitos orientadores em nosso nicho dizem: "Sua função mais importante é divulgar a si próprio o tempo todo". Embora a intenção seja válida, a mensagem não é. Sua função mais importante nessa atividade é a de instruir e servir às pessoas. Isso é o que você se sente compelido a fazer e o que deve fazer. Felizmente, estamos numa encruzilhada interessante no tempo em que orientar é considerado marketing.

No mundo antigo do marketing, os experts enviavam promoções exclusivas a seus clientes, anunciando que tinham um novo produto disponível. Por exemplo, um escritor enviava cartões, folhetos e e-mails em que anunciava seu novo livro. Eles, de fato, diziam: "Atenção, sei que não temos conversado por um bom tempo, mas, meu Deus, tenho algo que pode ajudá-lo. Compre meu material agora!".

Essa estratégia de "marketing de anúncios" nunca funcionou bem e na atualidade ela seria completamente inútil. A melhor abordagem para experts nos dias de hoje é agregar valor a seus consumidores gratuitamente por instruí-los e treiná-los sobre seu tópico. A ideia, como já mencionei previamente, é a de você enviar algumas peças de conteúdo grátis, sejam audioconferências, vídeos, *webinars*, e-books, durante dias ou semanas. Depois você diz: "Caro consumidor, se você gostou desses itens, adorará meu novo programa". A distinção é sutil, mas significativa:

nunca venda sem antes adicionar valor significativo. Essa é a diferença entre promover e montar uma campanha. Ao disponibilizar conteúdo gratuito, seus clientes começam a se engajar novamente com quem você é e com o que tem para lhes oferecer. Em seguida, quando você diz que tem algo para vender, eles entendem melhor o valor e têm uma antecipação e uma probabilidade mais altas de comprar.

Para promover efetivamente sua mensagem, marca e seus produtos, você tem de ter um site e um sistema de carrinho de compras que lhe permita capturar as informações de contato de um consumidor, enviar e-mails e processar pedidos por cartão de crédito. A maioria das pessoas em nossa indústria inicia as atividades com serviços de carrinho de compras como o 1shoppingcart, Office AutoPilot ou o Infusionsoft. Assim que você tiver implantada uma infraestrutura on-line para agregar valor, capturar potenciais compradores e processar vendas, o restante de seus esforços girará em torno de relacionar-se com os clientes e criar produtos e promoções. Essa é, em linhas gerais, sua nova carreira.

O segredo de se sair bem com suas promoções é entender o comportamento de compra e a psicologia de venda. A maior parcela do trabalho da Experts Academy tem sido baseada em ensinar isso e fornecer campanhas específicas para escritores, oradores, *coaches*, palestrantes e profissionais do marketing digital. Os conceitos básicos para promover algo para venda, no entanto, são universais. Há oito elementos presentes em qualquer boa mensagem de venda e todos eles devem ser utilizados em seus vídeos ou produtos.

1. Alegação

Qualquer mensagem expressiva de venda deve começar com uma alegação, uma promessa arrojada sobre o que seu produto ou serviço pode ajudar as pessoas a realizar. É importante saber que raramente uma chamada principal é lida inteira ou que os vídeos são assistidos por mais do que os primeiros minutos. Por quê? Não é porque as pessoas têm pouca capacidade de manter a atenção, mas sim porque elas não foram fisgadas e atraídas para assistir mais. Elas não foram capturadas por uma declaração ou promessa poderosa e relevante que as fez prestar atenção e desejar aprender mais. Essa é a função de sua alegação, captar interesse. Seus consumidores devem ouvir ou ler sua alegação e dizer a si próprios: "Eu tenho que saber mais sobre isso". Para conseguir esse interesse, sua alegação deve destacar os benefícios, os resultados, as inovações, a distinção ou o fator de empolgação do que você está oferecendo.

2. Desafio

Quais são os problemas que seus clientes estão enfrentando na vida? Quanto esses problemas está lhes custando? O que está impedindo-os de progredir? O que acontecerá se eles não resolverem esses problemas? Essas são as perguntas que você deve abordar para se entrosar com seus potenciais clientes. Mostre a eles que você entende seu mundo e seus problemas. Preste atenção em como esses problemas são prejudiciais e como continuarão a ser prejudiciais se algo não mudar imediatamente. Vender é, efetivamente, a arte e a ciência de iluminar os problemas de outras pessoas e inspirá-las a se comprometer com sua solução. Por mais frio e racional que possa parecer, é verdade: promoções fantásticas sempre fazem você concluir que há algo faltando em sua vida e que você pode e deve ter mais. Seu trabalho como divulgador de sua mensagem é mostrar às pessoas a necessidade do que você está vendendo para iluminar, com uma lanterna, os desafios alheios. No entanto, você jamais deve se mostrar como alguém que nunca passou por esses desafios. É o que trabalharemos no próximo argumento.

3. Identificação

Digo frequentemente que "se você não passou por isso, eles não prestarão atenção em você". Essa é uma declaração simples que nos faz recordar que as pessoas ouvem os experts que são como elas próprias. Um dos erros mais comuns cometidos pelos experts novatos, ao divulgarem suas mensagens, é o de parecerem perfeitos e bem-sucedidos demais para serem confiáveis. Eles esquecem o que o grande educador Booker T. Washington disse: "O sucesso é para ser medido não tanto pela posição que uma pessoa atingiu na vida, mas também pelos obstáculos que ela teve de superar". As pessoas identificam-se com suas lutas mais frequentemente do que com seus êxitos. Portanto, nunca se esqueça de compartilhar que os desafios que seus potenciais clientes estão enfrentando são normais e que você já encontrou obstáculos similares em sua trajetória para o sucesso. Compartilhe, também, como você e seu potencial cliente têm um futuro comum e bem-sucedido. Diga coisas como "Eu entendo qual a sua situação. Já estive nela. Estamos nisso juntos e estou aqui para ajudá-lo. Iremos visitar alguns lugares, você e eu". Suas histórias e jornadas comuns para superar desafios criam um entrosamento poderoso e notável. Assim que você se entrosar com seus clientes, a próxima etapa é mostrar por que você é a pessoa ideal para ajudá-los a progredir.

4. Credibilidade

Você gera credibilidade compartilhando as razões pelas quais é qualificado para ajudar seus clientes a superar seus desafios e melhorar suas vidas, seus resultados ou suas situações. Para os experts, isso é conseguido ao compartilhar os resultados que você obteve na vida, as pesquisas que compilou e sintetizou ou as razões por que você é um modelo de comportamento. Essa não é a hora de se vangloriar de qualquer feito pequeno que tenha obtido na vida, nem é o lugar para se vangloriar de seu currículo ou de seus bens. Em vez disso, essa é a hora em que você quer contar sua história sobre encontrar uma solução, que o ajudou a atingir seu objetivo. É o ponto em que você diz: "Já viajei pela estrada em que você está hoje. Eu já cheguei ao final dela e estou aqui para encurtar sua curva de aprendizado e a sua trajetória para o sucesso. Eu já fiz isso e ajudei outros a fazê-lo, eis aqui a prova". Em seguida, você mostra a prova de que é confiável destacando suas realizações e também as realizações de pessoas que obtiveram sucesso devido às suas recomendações ou soluções.

5. Alternativa

Nenhuma mensagem de venda pode ser efetiva se deixar de criar uma alternativa clara e expressiva na mente do potencial cliente. Você deve apresentar seu produto, programa ou serviço de tal modo que ele seja obviamente diferente e melhor do que qualquer outro do mercado. Seja ousado ao comentar por que as outras ofertas existentes no mercado são insuficientes ou ineficazes. Declare de maneira forte e específica por que sua solução é a melhor disponível no momento. Exiba todos os benefícios que sua solução trará para a vida dos potenciais clientes, para que eles a queiram. Aqui está um dos segredos entre as centenas que ensinamos na Experts Academy: mostre testemunhos de consumidores que dizem, explicitamente, por que optaram por sua solução. Isso é uma prova social e incentiva a discussão na mente de seus potenciais clientes para que façam uma opção similar.

6. Comparação de preços

Todas as pessoas desejam fazer uma boa compra. Elas querem saber que quando compram algo seu valor é muito, mas muito maior do que o que pagaram por ele. Sabendo disso, você jamais deve apresentar o preço de sua oferta sem antes pensar em um valor mais alto. Você quer que o potencial cliente pense que sua oferta será mais cara do que é. Você faz isso por justaposição de preços, mostrando altos valores e, depois, descendo na escala a um número mais baixo, mas com valor igualmente alto. Por exemplo, se você está tentando vender algo a US$ 19,95, deve ilustrar como soluções similares custam centenas de dólares, ou como sua solução pode render-lhes centenas ou milhares de dólares, e assim por diante. Se seus potenciais clientes não consideram que sua solução custaria dez vezes mais do que o preço que você lhes ofereceu, você não está fazendo um bom trabalho. Novamente, você deve fazer tudo isso de forma ética e inteligente, mas a conclusão final deve ser clara: faça-os pensar que estão fazendo um grande negócio.

7. Preocupação

Quais são as prováveis objeções que seus potenciais clientes terão para comprar sua solução? De que eles duvidam? O que eles temem não dar certo quando compram seu produto, programa ou serviço? Responder a essas perguntas mentalmente e em sua mensagem de venda é decisivo para seu sucesso. Quanto mais objeções você elimina durante suas mensagens de venda, mais vendas você obtém. Ótimos profissionais de marketing passam muito tempo eliminando as objeções e as perguntas provavelmente feitas por seus potenciais clientes e que podem comprometer sua tomada de decisão. Pessoalmente, nunca vendi algo sem primeiro conduzir testes informais com amigos, estranhos e consumidores anteriores. Digo-lhes o que tenho, mostro-lhes meus produtos e vídeos de venda e depois lhes pergunto: "Que preocupações ou objeções vocês pensam que alguém vá ter para comprar isso? Você pessoalmente compraria isso nesse instante, em dinheiro, no ato? Por que sim ou por que não?". As lições que aprendi com esses testes traduzem-se direta e explicitamente em minhas mensagens de venda.

8. Fechamento e peça que gere uma expectativa de resposta imediata

Confirmar um fechamento e uma peça que gere expectativa de resposta imediata significativa pode parecer algo que não exige muita inteligência, mas praticamente todo profissional de marketing que conheço falha nessa tarefa. Uma ótima peça acumula tantos benefícios, bônus, garantias e mensagens de urgência tão entusiasmantes que os clientes pensam: "tenho de comprar isso agora!". Vamos desmembrar a última sentença. Uma ótima peça acumula mensagens. Primeiro, ela empilha benefícios e bônus, mais razões e valor para o potencial cliente comprar naquele momento. É por isso que em todos os infocomerciais que você já viu e que oferecem algum produto fraco eles sempre duplicam a oferta no final.

"Você adquire não apenas um, mas dois conjuntos de facas ninja Ginsu se fizer o pedido neste exato instante!" Segundo, fechamentos fantásticos removem riscos e deixam o potencial cliente à vontade: "Ei, se você não ficar plenamente satisfeito com este produto, devolva-o dentro de 30 dias e nós restituiremos tudo o que foi pago". As garantias são incrivelmente importantes em nossa indústria. Embora a maioria dos novatos tema que os clientes obterão vantagem se lhes for oferecida uma garantia, a realidade é que é maior o número de pessoas que comprarão por causa da garantia do que os que abusarão desse benefício. Próximo passo, um fechamento fantástico termina com uma mensagem de escassez ou urgência, informando ao potencial cliente por que ele deve comprar agora ou arriscar perder seu ótimo valor, preço ou alguma oferta pontual. Finalmente, um fechamento significativo pode terminar com uma clara, direta, simples e repetida peça que gere uma expectativa de resposta imediata: "Clique no botão abaixo neste exato instante para começar" ou "Ligue para esse número telefônico agora mesmo para fazer seu pedido".

Esses oito componentes de uma grande mensagem de venda compõem uma descrição geral para termos um marketing competente. Espero que eles lhe sejam úteis quando você pensar em sua próxima promoção. Se você gosta de se aprofundar no campo de divulgação de suas mensagens, visite o site www.expertsacademy.com e opte por acessar suas informações de contato. Estou sempre compartilhando ótimas estratégias e táticas de marketing com meus assinantes.

Tornar-se um ótimo profissional de marketing exige o mesmo trabalho que qualquer outra carreira: você domina o marketing aprendendo com os outros, fazendo sozinho, experimentando, testando e melhorando. Estimulo-o a levar o marketing muito a sério e a fazer dessa matéria um estudo permanente. Sua mensagem merece ser ouvida pelas massas e você merece ganhar dinheiro quando serve aos outros. Para isso, é preciso se tornar um ótimo promotor.

INDICADORES PARA EXPERTS:

1. O próximo produto ou programa que estou pronto para criar e promover é...

2. Os benefícios que as pessoas extrairão deste programa são...

3. As partes de conteúdo gratuitas que posso enviar às pessoas oferecendo esse programa para venda são...

4. As razões pelas quais as pessoas se sentem compelidas a comprar este programa são...

...

Quarto requisito do mensageiro: formação de parcerias

Você consegue transmitir sua mensagem ao mundo, até o momento, por conta própria. Embora todas as pessoas queiram que suas mensagens se tornem virais e, repentinamente, virem um hit instantâneo ou um fenômeno no YouTube, isso raramente ocorre.

Esse é um ponto importante e algo que você precisa saber em primeira mão. Na Experts Academy conheci centenas de pessoas que estavam absolutamente devastadas pelo fato de que suas mensagens não "inflamavam" na internet. Muitas delas diziam: "Brendon, não acredito. Todos no mundo precisam de minha mensagem. Ela é uma mensagem tão importante e pode realmente transformar vidas, mas esse plano não está dando certo para mim. O que há de errado com as pessoas? Elas propagam a mensagem de um gato vomitando no YouTube, mas não o meu material transformador de vidas! Socorro!".

Essa citação é engraçada sob vários aspectos. Primeiro, é verdade que: qualquer animal que caia, vomite, morda, brinque ou apenas pareça bonitinho sempre terá muito mais acessos do que sua mensagem on-line. Bem-vindo à nossa sociedade de distrações insignificantes. Supere isso e perca o ego. Quando o estudante estiver preparado, o professor aparecerá. Sua mensagem crescerá de modo viral à medida que as pessoas precisarem dela e a compartilharem com outras que também precisem dela.

Segundo, é divertido, de um jeito irônico, pois tantos experts que adoram pessoas e querem ajudá-las acabam dizendo: "O que há de errado com as pessoas?". Eles se tornam tragicamente saturados e, sem terem consciência disso, esse sentimento começa a se confundir com suas palavras como se fosse uma pista de condescendência e exasperação. Por sua vez, as mensagens que enviaram começam a perder força à medida que as pessoas são desprezadas. Isso não é engraçado, é o final de uma carreira. Jamais admita que algo está errado com as pessoas simplesmente porque elas não gostam, não acreditam em ou não ajudam a promover sua mensagem. As pessoas têm seus compromissos e necessidades, e quando elas precisarem de você, elas vão encontrá-lo. Assumido isso, você tem de estar disponível para ser encontrado através de seu site ou de suas promoções.

Portanto, o que você pode fazer para amplificar sua mensagem e torná-la viral? Primeiro, crie conteúdo e valor fantásticos. Menos óbvio, comece a fazer parcerias que a tornem viral. O objetivo de todos os mensageiros deve ser encontrar mais mensageiros para amplificar suas mensagens. Até Jesus Cristo precisou de discípulos para divulgar sua palavra.

Aportar parceiros promocionais importantes é fundamental para o alcance de sua mensagem e de seu sucesso financeiro. Essa é a razão pela qual isso exige atenção e esforço contínuos. Felizmente, trata-se de um processo relativamente simples.

Primeiro, identifique outros experts sobre seu tópico. Já contei a importância disso previamente. Sua missão nessa nova carreira deve incluir conhecer todos os players mais influentes em seu tópico na indústria. Isso pode parecer algo relativamente fácil, mas quando peço aos meus alunos, na Experts Academy, se eles podem nomear pelo menos dez gurus em seus tópicos de preferência, somente 10% dos presentes no recinto levantam as mãos. A maior desvantagem dos novatos é a falta de conhecimento e, em nenhuma outra área, essa ignorância é mais debilitante.

Pesquise na internet por outros experts com buscas no Google, YouTube, Facebook, LinkedIn e em todos os portais e sites de busca e de mídia social. Quem mais está orientando pessoas sobre seu tópico? Quem escreveu um livro sobre o assunto? Quem comenta o assunto em seus blogues? Quem dá palestras sobre o assunto profissionalmente? Quem está ministrando seminários? Quem leciona sobre o assunto em faculdades e universidades influentes? Embora pesquisar na web outros eruditos e mensageiros possa não parecer muito divertido, é necessário. Também é surpreendente ver quem mais é atuante e o que os outros estão falando sobre ele. Você verá que a maior parte do que encontrará é um lixo, e isso o inspirará a assumir o comando e a liderar a indústria em seu tópico.

À medida que estiver fazendo essa lição de casa, crie uma planilha com todos os nomes dos outros gurus, endereços de e-mail, endereços residenciais e sites, e não se preocupe. Encontrar essas informações de contato é fácil, não há nenhum expert confiável no mundo que não liste suas informações para contato em seus sites. Diferentemente de celebridades, os experts empreendedores querem ser encontrados, entrevistados e contatados.

Inscreva-se, também, em suas newsletters para que possa saber o que eles enviam as suas comunidades. Essas newsletters dão a você uma ótima perspectiva interna do que eles transmitem, com o que se parecem e o que vendem. Eu me cadastrei em mais de cem listas, pois queria saber o que os outros experts estavam dizendo e fazendo, de modo que estou sempre bem informado. Administro toda essa informação em um e-mail separado que utilizo para acompanhar gurus.

Depois de observar e seguir outros gurus por um período, comecei a apurar a lista com aqueles em que é possível confiar, gostar e respeitar. Essa lista passa a ser sua relação de parceiros promocionais desejados.

Após fazer todo esse trabalho, e apenas depois de tê-lo feito, é o momento de entrar em contato com esses potenciais parceiros promocionais. Esse é o ponto em que 100% dos novatos arruínam tudo. Eles contatam outros especialistas como idiotas ou amadores. A primeira comunicação que fazem geralmente apresenta um conteúdo como o que segue:

(Linha do assunto) Por favor, queira repassar a mensagem!

Caro (insira o nome),

Estou começando nessa indústria e gostaria de contar com sua opinião. Acabei de ler seu livro. Me interesso muito por (insere aqui o tópico), pois (insere um texto extremamente longo para explicar a história de vida completa com todas as maiores dificuldades que forjaram seu caráter e resumiram a mensagem da alma). Dito isso, tenho um novo (insere aqui o item: blogue, livro, evento, produto) que será lançado daqui a três dias e gostaria muito que o senhor (insere o pedido usual do novato para que o receptor (a) ofereça algo grátis; (b) endosse o trabalho; (c) envie um e-mail a todos os membros de sua lista e lhes diga que comprem este material fantástico). Obrigado por fazer isso por mim. O senhor pode me responder e me informar quando consegue fazer isso? Segue em anexo o meu (insere qualquer item aqui: extrato, artigo, currículo, outras bobagens desnecessárias que ocupam volumes enormes de megabites que seguramente serão despejadas na caixinha de spams). Obrigado novamente por tudo. Realmente sou muito grato por isso.

Assinado, novato ingênuo

Evidentemente, estou brincando, mas você entendeu o que eu quis dizer. Infelizmente, é isso o que a maioria das pessoas faz quando tenta contatar influenciadores ou líderes em suas áreas. Eu sei, porque recebo cerca de cem e-mails por semana iguais a esse.

Qualquer pessoa que conheça algo sobre o *Networking 101* pode lhe informar por que essa é uma primeira aproximação horrível. Ela é autocontida, desnecessariamente longa e suplica um favor de um estranho. Já ouvi alguns em nossa comunidade dizerem que esses tipos de mensagens são equivalentes a ter um encontro com uma desconhecida, falar sobre si próprio o tempo todo e, depois, ainda tentar roubar um beijo dela no final. Mas eu discordo. É muito mais parecido a se aproximar de alguém e esticar a língua até o fundo de sua garganta. Não há absolutamente nenhum encontro, mas simplesmente um ato egoísta de forçar algo, o que não dá ao outro nenhum tempo para avaliar quem é você.

A razão pela qual esse tipo de absurdo acontece todo o tempo é o que chamo de "o segredo é...". Suponho que, se você está lendo este livro, já ouviu e provavelmente leu o livro ou viu o filme *O segredo*. Trata-se efetivamente de um bom livro; a mensagem é enviar boas intenções ao mundo sobre seu desejo e o universo captará sua energia e lhe retribuirá de volta. Antes de criticar o livro, tenho de admitir que ele ajudou muitas pessoas. A obra traz uma boa mensagem: concentre-se em seus pensamentos. Mais ainda, fiz amizade com muitos(as) dos(as) astros(estrelas) do filme. No entanto, até mesmo estes(as), posteriormente, advertiram sobre as partes faltantes da mensagem. O verdadeiro segredo para se atingir o sucesso exige que se trabalhe arduamente, mas isso não é mencionado nem uma vez no livro. Acredito que *O segredo* apenas se encaixa numa lista longa de títulos de autoajuda que hipnotizaram nossa cultura ao liderar nossas vidas através de um mantra de "peça e será atendido".

Se você seguisse meu trabalho anteriormente, provavelmente me ouviria informando isso aos públicos e poderia me citar: "A era do 'peça e será atendido' acabou; hoje em dia, as pessoas realizadoras vivem e respiram o credo 'dê e você receberá'".

Primeiramente, faça sua doação essencial, e esse é o primeiro princípio para ganhar parceiros promocionais que ajudem a propagar sua mensagem e façam crescer seu negócio. A melhor aproximação em nossa comunidade é contatar outro expert e dar a ele exatamente o que você deseja receber. Se você quer que ele promova o seu site, promova o dele. Quer um endosso? Dê um primeiro. Precisa do feedback dele em seu projeto? Dê feedback no projeto dele.

Com o credo "dê e você receberá" como base, apresento agora um modo totalmente diferente de se aproximar de um expert que pode ser um potencial parceiro promocional:

(Linha do assunto) Posso promover seu trabalho!

Caro (insira o nome),

Estou escrevendo para agradecer ao senhor por tudo o que faz para ajudar as pessoas e quero pedir autorização para promover sua mensagem e suas atividades em meu círculo de influência. Tenho certeza de que o senhor está sempre em busca de mais pessoas que o ajudem a transmitir sua mensagem. Sei quem eu sou, por isso escrevo para ver se o senhor autoriza que eu repassasse um e-mail a meus amigos, familiares e admiradores falando sobre seu trabalho. Há algum item específico que o senhor está promovendo agora?

Sou um grande admirador de seu (insira itens relevantes aqui: blogue, livro, produto, evento). Particularmente, gosto de sua mensagem sobre (insira sua mensagem principal aqui), ela tem significado muito para mim. Sei que atuar como expert pode ser uma função ingrata, então, por favor, saiba que seu trabalho está fazendo a diferença nas vidas das pessoas. Certamente, tem feito na minha.

Bem, desde que ambos estamos na atividade de (insira o tópico aqui), penso que compartilharia sua mensagem com minha audiência, mesmo que ela não seja tão numerosa como a sua. Eu ajudo as pessoas (ensino e obtenho o quê?), por isso acho que nos alinhamos no modo como servimos.

Obrigado novamente por tudo o que o senhor faz. Por favor, me informe o que gostaria de dizer ao meu público e como posso ajudá-lo.

Assinado, novato amigável

Essa nova mensagem foi reestruturada totalmente em relação à mensagem anterior. Ela oferece valor a ser direcionado. Ela doa. É apreciativa e objetiva. Tem um final aberto. Ela é ótima.

Mas, espere. Você é um especialista, o que aponta que, em algum nível, pode, de modo geral, ser excessivamente analítico. Isso indica que você enxerga uma nova oportunidade ou ideia e imediatamente a questiona, levantando objeções instantâneas a sua mente.

Essas objeções geralmente aniquilam sua capacidade de tentar coisas novas e implementar ideias. Do que estou falando? Bem, eu sei que assim que você leu a mensagem do novato amigável deve ter pensado: "Mas, Brendon, espere um instante! Eu não tenho uma audiência considerável! Não tenho uma lista grande de fãs ou assinantes! Oh, meu Deus, isso não funciona para mim! Por que alguma pessoa gostaria de trabalhar comigo?"

Eu estou certo? Sei que estou, pois venho trabalhando com experts há muito tempo.

Vamos apaziguar suas preocupações analisando a situação contrária. Se alguém escrevesse esse e-mail a você, oferecendo-se para promover sua mensagem, você se interessaria pelo número de pessoas que ele atingiria? Certamente, você se preocuparia, mas você negaria a ajuda? É óbvio que não. Você quer transmitir sua mensagem para qualquer pessoa, para qualquer tamanho de lista. Isso é semelhante à captação de fundos nas organizações sem fins lucrativos. Se um doador contata uma organização como essa e quer doar uma quantia de dinheiro, a organização em si não se interessa se obterá 5, 50 ou 5 mil dólares. Sim, certamente ela preferirá 5 mil dólares em vez de 5 dólares, mas aceitará toda a ajuda possível e apreciará essas doações, pois precisa de ajuda em seus trabalhos beneficentes. Eu também. Um mensageiro raramente recusa outro discípulo.

Assim, após o expert responder expressando apreciação e lhe dando algo para promover, você o promove. Você faz isso através de seu site, de uma mídia social ou de qualquer veículo que tiver. Você o ajuda a propagar suas mensagens, sem qualquer vínculo formal. Em seguida, mostra a ele que fez um follow-up enviando-lhe qualquer comunicação repassada elogiando seu trabalho e, assim, inicia-se um relacionamento.

Para aqueles que objetam e dizem: "Mas, Brendon, e se ele não fizer nada para mim depois que eu promovê-lo?". Eu respondo: "O que é que tem?" Você promoveu bons conteúdos para sua audiência. Descontado tudo, sua audiência apreciará as informações.

No entanto, o cenário mais provável é este: o guru é apreciativo, faz mais perguntas sobre o que você faz e, assim, começa um diálogo verdadeiro. Talvez um dia você o encontre pessoalmente numa conferência, em algum momento (desculpe, não há regra quando isso ocorre) você faça uma sugestão para uma promoção intercambiável entre vocês como "afiliados". O que é ser um afiliado? Significa simplesmente que vocês promovem um ao outro, monitoram os resultados e dividem qualquer renda gerada pela promoção. Significa que vocês são parceiros em promoções e obtêm lucros juntos.

Eu poderia escrever um livro inteiro sobre programa de afiliação, mas, em vez disso, deixe-me fornecer a você a essência da oferta de outra mensagem modelo. Quando chega a hora de começar um relacionamento, preferivelmente após você ter encontrado, pessoalmente, seu novo amigo guru, é possível lhe escrever algo como o seguinte:

(Linha do assunto) Promovendo-o novamente

Caro (insira o nome),

Tenho uma ideia para você. Lembra-se de quando promovi seu material para minha audiência? As pessoas gostaram muito dele. Aposto que temos muitas sobreposições e poderíamos compartilhar muitas ideias e produtos.

Eis aqui a minha ideia. Tenho um (vídeo, webinar, relatório...) de alto valor que você pode fornecer ao seu público. Eu cobrava xxx dólares por ele no passado. Posso enviar-lhe uma mensagem de amostra com um único link para transmissão. Quando seus seguidores clicarem no link, serão direcionados para uma página em que têm de digitar seus nomes e e-mails para acessarem meu conteúdo e treinamento gratuitos. Assim que eles optam pela entrada, recebem acesso imediato. Há alguns dias eu enviei um e-mail a eles com a seguinte mensagem: 'Ei, se vocês gostaram do material gratuito que lhes enviei, gostarão de meu novo (produto ou programa)'. De qualquer modo, se eles definitivamente comprarem meu novo material, sei que provêm de você, pois remontam àquele único link que você lhes enviou; assim lhe repassarei 50% da receita. Portanto, você está oferecendo material gratuito de alto valor a sua lista e lucrando com isso. Se concorda com minha proposta, enviarei a você o e-mail e o link personalizados para que acione sua lista. Você só precisa escrever a mensagem e clicar no botão enviar.

O que você acha? Também quero fazer isso para você, então me diga o que gostaria que eu promovesse de seu tópico. Sei que meu público agora gosta de seu material.

Assinado, mensageiro milionário

Esse tipo de aproximação funciona muito bem, visto que se baseia numa reciprocidade aberta (eu promovi você, você gostaria de me promover?), valor aos clientes (nós lhe ofereceremos material gratuito), simplicidade (apenas clique no botão enviar) e compensação (você ganha dinheiro e eu também).

Nada tem de ser complicado nesse processo, e você provavelmente já o viu em ação dezenas de vezes. Apresento, agora, algumas coisas boas para se aprender sobre esse enfoque. Primeiro: ele funciona apenas se você criou um relacionamento real com seu potencial parceiro promocional. Segundo: ele só funciona se você realmente agrega valor aos clientes com o conteúdo gratuito. Terceiro: você deve revelar ao seu público que é um afiliado e pode ser recompensado se eles comprarem qualquer item por meio de seus links. Quarto: ele é fácil de ser implantado com o monitoramento de afiliados e funcionalidades do carrinho de compras a partir de qualquer provedor básico como o 1shoppingcart, Office Autopilot ou Infusionsoft.

Uma revelação importante nesse ponto é que não sou afiliado nem porta-voz de qualquer uma dessas empresas, e não estou promovendo seus trabalhos. Estou apenas compartilhando o que a maioria dos gurus usa no que se refere à tecnologia.

De modo geral, nós nos aprofundamos nessas complexidades tecnológicas na Experts Academy, mas a conclusão tirada aqui deve ser óbvia: oferte para facilitar, tornar lucrativo e para que algum profissional queira promovê-lo.

Quando você obtém a participação de alguns parceiros promocionais, tem um multiplicador para o seu negócio. Mais pessoas em seu nicho o descobrirão, mais pessoas se cadastrarão em sua lista e mais pessoas começarão a se aproximar de você com suas próprias ideias de parceria promocional.

No entanto, as parcerias promocionais não são limitadas a somente outros gurus. Tenho instruído milhares de experts e empreendedores sobre como formar parcerias com patrocinadores presentes na lista das 500 empresas da *Fortune*, além de organizações sem fins lucrativos, graças ao meu famoso *partnership seminar*. Esse evento é o único seminário de treinamento abrangente no mundo que orienta sobre esse assunto. A ideia básica é que você se associe a empresas ou organizações sem fins lucrativos para criar conteúdo único e promoções para seu público, tudo baseado em sua marca e em informações práticas e úteis. Em troca, as empresas e organizações pagam a você, promovem sua mensagem a milhões e fornecem perspectivas e recursos inestimáveis (quadro de pessoal e tecnologia) para fazer com que tudo aconteça. Para aprender mais sobre patrocínios organizacionais e parcerias promocionais, visite o www.partnershipseminar.com.

Veja bem, qualquer pessoa precisa de parceiros promocionais. Se você concorda com isso, deve estar buscando diligente e estrategicamente potenciais parceiros que possam ajudá-lo a propagar sua mensagem e a fazer crescer sua marca e seu negócio. Meus parceiros promocionais me ajudaram a contatar milhões de pessoas em todas as partes do mundo e a ganhar quantias milionárias. Eles ajudaram a agregar valor a pessoas que eu jamais teria alcançado e permitiram que eu me tornasse, de maneira ética e colaborativa, um mensageiro milionário. Desejo o mesmo para você.

INDICADORES PARA EXPERTS:

1. Os parceiros promocionais que já conheço e dos quais quero me aproximar são...

2. O valor que eu poderia agregar a eles é...

3. A próxima campanha que lanço e que desejo que eles apoiem é...

4. As etapas que vou empreender neste momento são...

...

O último requisito

Obter sucesso na indústria de experts resume-se a se posicionar inteligentemente, empacotar suas informações brilhantemente, promover sua marca estrategicamente e formar parcerias consistentes para transmitir sua mensagem ao mundo em grande estilo.

Como base para todos esses requisitos, posicionamento, empacotamento, criação de promoções e formação de parcerias, temos um requisito mais importante e geralmente não celebrado. Denomino-o de o requisito definitivo do mensageiro: servir com propósito. A verdade é que qualquer pessoa pode sair por aí e mentir sobre quem é e o que sabe. Eu não despenderia muito esforço para reunir algumas informações úteis e maquiá-las graças ao marketing e a endossos falsos de terceiros. Construir um império como um falsário e ladrão poderia ser fácil e muitos arruinaram nossa indústria procedendo dessa forma. Mas há apenas um problema: fazer isso não é bom. Não é bom para você ou para nossa comunidade. Mais importante, não é bom para os clientes.

Acredito, do fundo do coração, que a razão pela qual eu progredi tão rápido é porque acredito em servir com propósito e faço disso parte de minha mensagem e de meu trabalho. Há muitos mais inteligentes do que eu, melhores divulgadores, mais engraçados, mais bonitos e mais articulados do que eu. Mas, geralmente, excedo ao servir a outras pessoas, pois sou apaixonadamente interessado por meus clientes e por seus êxitos. Jamais perco a perspectiva do porquê estou fazendo o que estou fazendo: quero melhorar a vida das pessoas. Sou orientado mental, emocional, espiritual e financeiramente por um propósito maior, que faz toda a diferença no mundo.

Digo tudo isso para ilustrar que fazer coisas boas e se sair bem financeiramente podem ocorrer simultaneamente. A ideia ultrapassada de que você tem de escolher entre fazer a diferença e ganhar a vida foi exterminada nessa nova economia impulsionada por propósito e lucro. Estamos num maravilhoso e novo mundo de consumidores socialmente conscientes, que se preocupam sobre de quem compram e como suas vidas estão mudando. Quando você oferece valor a eles e vem de uma comunidade dedicada a servir com propósito, eles percebem isso e seu negócio prospera. Você faz a diferença e enriquece. A mensagem, o significado e o dinheiro se mesclam de um modo maravilhoso.

1. Se eu trouxer mais propósito a meu trabalho, isso fará...

2. As pessoas que vi que não servem a seus clientes têm sido...

3. Aqueles que servem com propósito e estão fazendo um ótimo trabalho me ensinaram...

4. O modo como permanecerei fundamentado e focado em servir neste negócio é...

...

CAPÍTULO 9

O manifesto do mensageiro
(ou a grande reestruturação da indústria)

A indústria de experts está passando por uma mudança gigantesca. Novas estratégias de marketing e tecnologias estão possibilitando tanto às figuras lendárias do setor como aos gurus em atividade que amplifiquem suas mensagens de forma mais rápida e abrangente do que qualquer um de nós poderia ter imaginado.

Os consumidores estão exigindo um valor mais alto, mais conteúdo gratuito e maiores níveis de acesso e interação com experts através das mídias sociais. Os meios antigos de ganhar dinheiro na indústria, que se baseavam unicamente em vendas de livros ou na realização de seminários "em que se vendia de tudo" estão acabando, ou já acabaram. Em um mundo de celebridades instantâneas e de transmissões globais com o clique de um botão, há mais competição por atenção e negócios. Criar uma base de admiradores é, a princípio, mais fácil com a mídia social, mas se torna mais difícil quando todas as pessoas agora têm admiradores. Os nomes famosos que lideraram nossa comunidade durante décadas estão cedendo espaço para uma nova geração de gurus.

Há implicações positivas e negativas em toda essa transformação, mas uma coisa é bastante positiva: o conteúdo é fundamental, e os novos reis dessa economia serão os criadores de conteúdo. O mundo está nos procurando por nossas novas ideias e informações práticas e úteis que melhoram vidas e desenvolvem negócios. Trata-se de uma época incrivelmente excitante, lucrativa e significativa para ser escritor, orador, palestrante principal de seminários, *coach*, consultor e profissional do marketing digital. Tenho sentido essa energia de forma muito palpável nos eventos presenciais da Experts Academy.

No entanto, sob todas essas oportunidades e energia, também está ocorrendo uma grande reestruturação de nossa indústria. Parte dela devido à tecnologia e parte porque a velha guarda está envelhecendo e se aposentando. Mas a principal razão para a grande transformação é que alguns líderes da comunidade de experts estão, finalmente, pensando nela como uma indústria. Pela primeira vez na história, as pessoas que dão conselhos e informações práticas e úteis ao mundo, e ganham com isso, estão pensando no que fazem como uma carreira em uma indústria genuína.

Ultimamente tenho recebido elogios e gracejos por liderar essa mudança. Talvez eu mereça ambos. Alguns disseram que tenho feito um ótimo trabalho ao defender a causa, outros questionaram meu direito de fazê-lo. Alguns aplaudiram minha transparência sobre o modo de funcionamento do setor, outros dizem que falo sinceramente demais sobre práticas de negócios de gurus específicos. Alguns dizem, também, que fui excessivamente impetuoso e audacioso ao criar a nova Experts Industry Association, outros dizem que foi na hora certa.

Só para constar, todos estão certos. Para contar desde o início da história e compartilhar algumas perspectivas sobre a reestruturação do setor e o papel que tive nesse processo, vamos examinar especificamente seis aspectos que determinam como a indústria está mudando e o porquê. As primeiras três mudanças têm a ver com como nossa comunidade interage internamente. As três últimas têm a ver com como o setor é visto por nossos clientes.

Uma revolução interna

A mudança no interior de nossa comunidade tem sido, para muitos novatos, sutil. Mas os resultados estão se preparando como uma onda e estão mudando para sempre a natureza de como fazemos negócios e ajudamos nossos clientes. Três mudanças estão impulsionando essa transformação.

...

Primeira reestruturação:
dos silos ao compartilhamento

Quando eu atuava como consultor em desenvolvimento organizacional e desempenho humano na Accenture, a maior empresa de consultoria do mundo, aprendi uma lição inestimável que está me ajudando a explicar e liderar a transformação na comunidade de experts. Durante o tempo em que trabalhei lá, testemunhei iniciativas grandiosas de mudança em muitos dos principais varejistas do mundo, incluindo a JC Penney, eBay, Best Buy, Nordstrom, Levis e Walgreens. Muitas delas deram certo ou fracassaram com base na eficácia ou não do trabalho conjunto de suas equipes e da capacidade de compartilhar informações e melhores práticas do próprio setor varejista.

Logo, concluí que é possível melhorar qualquer organização ou setor no mundo em até dez vezes, em um ano ou um ano e meio, simplesmente ajudando-os a compartilhar práticas mais adequadas.

Armado com essa convicção, fiquei completamente confuso quando entrei na indústria de experts. Para meu completo choque, praticamente ninguém na comunidade estava compartilhando melhores práticas sobre como deviam propagar suas mensagens ou consolidar seus negócios. A indústria estava desconectada e quase ninguém sabia o que funcionava pelas organizações e grupos de consumidores. Era algo mistificador para mim, de modo que comecei a perguntar a muitos dos principais experts do mundo por que isso ocorria. Eles foram incrivelmente francos e me concederam entrevistas. Começaram a emergir três temas que poderiam explicar a razão pela qual a indústria tinha ficado tão obscurecida e desconectada de si mesma.

Antes, temos de entender que nossa comunidade é composta de empreendedores que, em sua maior parte, trabalham em casa e sozinhos. Sem funcionários, parceiros de trabalho, gerentes e sem contato regular com seus pares, é fácil ver por que eles não se sentem parte de uma comunidade maior. Eles são realmente empreendedores solitários.

Na condição de funcionário nos Estados Unidos organizacional tradicional, seus colegas estão a sua volta das 8 às 17 horas. Você os vê em suas mesas, em reuniões, nos bebedouros de água e nos congressos anuais. É fácil que você se considere parte de uma entidade maior, pois está cercado por muitas pessoas. E, quando está cercado por pessoas no trabalho, tende a compartilhar casualmente o que está ou não dando certo.

Mas os experts não compartilham dessa realidade. Eles, de modo geral, estão labutando sozinhos, criando seus conteúdos, como artistas. Embora suas vidas possam ser aparentemente públicas, enquanto compartilham suas informações em livros, nos palcos ou na web, o oposto também é verdadeiro. Suas vidas são bastantes privadas, até reclusas. De fato, quanto mais populares se tornam, mais barreiras são levantadas em torno deles para garantir sua privacidade. Pior, sem conexão e comunicação regulares com seus pares, eles acabam "reinventando a roda" seguidamente. Ninguém sabe o que funciona. Ninguém sabe o que não funciona. Todos eles estão deslocados tentando descobrir como transmitir suas mensagens para o mundo da forma mais expressiva possível.

Tudo isso leva a uma indústria que não vê a si própria. Nossos membros não se consideram conectados ou parte do todo, apesar de, essencialmente, fazermos a mesma coisa: divulgamos conselhos, conhecimento e informações práticas e úteis a consumidores e organizações. Essa é a razão pela qual me tornei uma espécie de embaixador para a nossa comunidade, pois fui um dos primeiros a publicar e enfatizar que somos uma indústria verdadeira.

Para ser justo, há entidades pertencentes à indústria que têm tentado reunir os profissionais. O desafio é que essas organizações também consideram a indústria como um conjunto de silos. Há conferências literárias e associações para escritores, uma associação de oratória para palestrantes e associações de *coaching* para *coaches*...

O problema em fragmentar a indústria desse modo é que os experts raramente aprendem os múltiplos conjuntos de habilidades necessários para que ganhem vários fluxos de renda. Se você é apenas um autor e desconhece oratória, seminários, *coaching*, consultoria e marketing digital, está limitando sua mensagem e deixando milhões de dólares na mesa. Um orador que não entenda de marketing digital está fadado a uma vida distante da família. *Coaches* que não sabem transformar seu conhecimento em dinheiro por meio de livros padecem de uma vida infeliz e assim por diante.

É por isso que, primeiramente, decidi fundar a Experts Academy. Eu queria compartilhar as melhores práticas do setor, que estava fragmentado em silos para escritores, oradores, palestrantes principais de seminários, *coaches*, consultores e divulgadores de informações on-line. Fui bem-sucedido nisso durante anos, mas decidi levar o empreendimento ao próximo nível, com a criação da Experts Industry Association. Em vez de apenas abrigar um seminário pontual, queria reunir toda a comunidade uma vez ao ano. Também queria criar algo além de mim, a Experts Academy é minha, mas a Experts Industry Association é nossa. Trata-se de uma organização que não é sobre mim, embora eu seja um de seus fundadores, mas sobre todos nós. Vamos nos reunir todos os anos, compartilhar nossas melhores práticas, construir laços, estabelecer novos padrões, celebrar nossos heróis e habilitar novas gerações para que tenhamos sucesso.

Provavelmente eu obteria uma porção de publicidade por ter a audácia de começar uma associação como essa, mas imagino que é tempo de nos agruparmos. Praticamente todos os que trabalham em indústrias se reúnem para ver como podem fixar novos padrões e desenvolver o meio. Por que seria diferente conosco?

A segunda razão pela qual temos sido uma indústria tão desconectada e individualista: muitos experts temem outros experts. É irônico que uma comunidade que se orgulha de ajudar pessoas a superarem o medo tenha tanto medo de seus próprios membros. Os experts notadamente ficam apavorados que um terceiro possa roubar suas ideias. Desse modo, eu argumentaria que esta é uma das indústrias mais temerosas do mundo, tirando-se a comunidade de inventores, outra indústria, a propósito, que jamais cresceu e considerou-se digna desse nome.

O inconveniente dessa realidade é que há tantos experts protegendo tão bem suas informações e práticas de negócios que ninguém está aprendendo com os demais. Todos os profissionais estão constantemente "reinventando a roda" ou "jogando papel na parede para ver se ele gruda". À exceção de uma pequena elite e dos, de modo geral, inacessíveis e extremamente caros grupos dominantes, os experts raramente compartilham suas melhores ideias sobre negócios entre si. Eles têm um medo irracional de que alguém furtará seus conteúdos de treinamento ou suas estratégias de marketing. Embora qualquer homem de negócio possa querer proteger suas ideias, o nível de medo em nossa comunidade tem nos prejudicado durante décadas e continuará a fazê-lo a menos que mudemos nosso enfoque. Se não começarmos a compartilhar nosso conhecimento abertamente, como nós, na qualidade de um grupo de experts, avançaremos um dia nossa indústria?

Minha convicção sobre compartilhar informações origina-se desta metáfora: se você não deixar um bebê sair de seus braços, pode ser que ele nunca se aventure no mundo e nem cresça. Acredito que qualquer ideia que tenho somente poderá ficar maior e melhor se for exposta ao mundo. Embora a quantidade de treinamento que já divulguei ao público seja estarrecedora, constatei que mais pessoas o utilizam e compram do que o furtam descaradamente. Além do mais, com a facilidade da busca e das mídias sociais disponíveis a nós na atualidade, certamente eu encontraria ou ouviria a respeito de qualquer pessoa que estivesse usando ilegalmente meu material. Essa é a principal razão por que, a propósito, não tenho medo de ladrões e compartilho tudo abertamente: sei que sou um criador. Mesmo se alguém, hoje, roubar todos os conteúdos e ideias de treinamento, tenho confiança de que posso criar novas informações no futuro. Experts são aprendizes e criadores, e podemos sempre criar mais informações úteis.

Vamos nos aprofundar mais um pouco? Trata-se não apenas de uma preocupação de que nosso conteúdo seja roubado. Todos temem que suas estratégias de marketing sejam roubadas. Mas, quem se importa? De qualquer forma, imitações e cópias nunca têm grandes desempenhos. É hora de todos nós admitirmos que se compartilharmos nossos modelos de negócios e nossas ideias de marketing isso nos ajudará a termos melhor desempenho no marketing. E quanto maior nosso desempenho, mais nossa comunidade será bem vista. Eu quero que os outros modelem melhores práticas para que nossa reputação como comunidade de experts cresça. Isso faz sentido, correto?

Muitos da velha guarda deixaram de olhar para o futuro de nossa indústria. Essa é a minha observação mais controversa, e sei que continuarei a ser acusado de muitas coisas por fazer essa declaração. Mas fatos são fatos: os gurus têm falhado no preparo de novos gurus.

Isso é evidente em muitos aspectos. Dezenas de milhares de pessoas deixaram de tentar entrar nessa indústria por não haver nenhuma inteligência coletiva compartilhada abertamente sobre o que se exige para obter sucesso, não há nenhum guia orientador. Se você pretende iniciar uma empresa no ramo imobiliário, há centenas de livros nas prateleiras que o orientam a fazê-lo. Mas quantos livros você já viu como este aqui? Por que este é um dos únicos livros que aborda o nicho dos experts como uma carreira genuína numa indústria real, com melhores práticas que qualquer pessoa pode seguir para avançar? A falta de informações gerais a consumidores e treinamentos sobre nossa indústria diz muito. E, o que diz, não é positivo.

Nada é mais evidente na declaração de que "gurus não preparam" do que o que denomino "o banco aberto". Em cada empresa da lista das 500 da *Fortune*, há sempre discussões sobre um plano de sucessão, um plano para que despontem novos líderes quando os atuais deixarem seus postos ou se aposentarem. Há planos implementados para preparar a próxima geração de líderes, planos de desenvolvimento de competências e de talentos e programas de tutoria. Os executivos e gerentes corporativos sempre são entrevistados para revelar como chegaram à posição em que se encontram. O mesmo ocorre nos esportes: você tem os titulares em exposição, mas no banco os reservas estão sendo preparados e à espera para progredir.

Mas onde está o "banco" na comunidade de experts? Pense nisso. Quem, na arena de desenvolvimento pessoal, será o próximo Tony Robbins? Quem será o próximo Wayne Dyer? O que acontecerá quando Oprah se aposentar? Quem está na fila atrás de Deepak Chopra e Marianne Williamson em espiritualidade; David Bach, David Ramsey, Robert Kiyosaki e Suze Orman em finanças pessoais; John Gray e John

Gottman em relacionamentos; Gary Hamel e Clayton Christensen em inovação; Seth Godin e Jay Conrad Levinson em marketing; Rich Warren e Joel Osteen em religião; John Maxwell e Warren Bennis em liderança; Brian Tracy e Jeffrey Gitomer em vendas; Andrew Weil e Mehmet Oz em saúde; e Dean Graziosi e Donald Trump em imóveis? Naturalmente, esses são apenas alguns dos principais líderes de alguns campos modelo. Aposto que você não conseguiria nomear nem dois profissionais ativos em cada uma dessas áreas, e imagino que é hora de começarmos a perguntar: por que não?

Essa questão levou-me a perguntar a muitas das pessoas que acabei de mencionar como elas consolidaram seus negócios de modo que pudéssemos compartilhar essas informações com futuros experts. De fato, muitas delas proferiram palestras na Experts Academy, revelando exatamente como o conseguiram, inclusive Tony Robbins, David Bach e John Gray. O que fascina nos casos de Tony, David e John é que ficaram chocados quando lhes pedi para revelarem como construíram seus impérios multimilionários. Cada um deles teve de criar uma apresentação inteiramente nova, apesar de terem atuado no setor de treinamento durante duas ou mais décadas. Acontece que ninguém jamais lhes pedira para que falassem especifica-mente sobre como consolidaram seus negócios.

O que foi mais extraordinário é que a maioria dos gurus não considera que as pessoas estejam interessadas em aprender a seguir os seus passos. Eu não acho que Tony sabia quantas pessoas gostariam de ter uma carreira como a dele até recentemente. A pessoa que me apresentou a ele em seu famoso evento, "Unleash the Power Within"[6], fez essa pergunta: "Quantos de vocês adorariam ter uma carreira como a de Tony e ajudar pessoas com sua motivação e suas recomendações?". Praticamente todos os presentes levantaram a mão. Havia mais de duas mil pessoas na conferência. Até certo ponto, todas as pessoas que nos seguem nos veem dentro de si mesmas.

---

[6] *Desencadeie seu poder interno.* Tradução livre (N. E.).

Outra questão é que muitos experts pensam que somos tão singulares que ninguém pode fazer o que fazemos. Isso, de certo modo, é verdade. Ninguém no mundo é como Tony Robbins. Ou como você. Ou como eu. Mas, lembre-se: Tony começou na atividade como um jovem rapaz que lavava os pratos em sua banheira, pois seu minúsculo apartamento nem mesmo tinha uma pia de cozinha. Ele não tinha nenhum certificado ou instrução formal. Como ele próprio gosta de dizer, não tinha nenhuma instrução formal, mas sim um "PhD em resultados".

Evidentemente, ninguém pode ser Tony Robbins. Ele é uma figura lendária e tem sua própria órbita. Admiro-o profundamente, conto com ele como amigo e mentor e acho que ele é insubstituível. No entanto, o que ele aprendeu sobre negócios pode ser ensinado, duplicado e melhorado. Começar e sustentar um negócio pode ser reproduzido, e mais novatos poderiam sustentar seus negócios se mais figuras lendárias compartilhassem as lições aprendidas. Homenageio Tony e todas as figuras lendárias que têm compartilhado seus insights na Experts Academy. Precisamos de mais pessoas fazendo o mesmo por toda a indústria e por múltiplos veículos, de modo que possamos construir um banco.

Estou fazendo minha parte da melhor maneira possível. Lanço sempre vídeos gratuitos aos cadastrados na minha lista, indico a eles outros experts que estão fazendo coisas maravilhosas e sou o anfitrião da Experts Academy e da Experts Industry Association. Além disso, mais de cem orientandos participam do Empire Group Mastermind e estão recebendo meu *coaching* e treinamento para que possam transmitir suas mensagens numa escala maior.

Outros setores entendem esse conceito. Todo mundo sabe que Warren Buffett, Steve Jobs ou Bill Gates são insubstituíveis. Entretanto, os três cavalheiros trabalharam arduamente para preparar a nova geração para que ela siga seus próprios e grandiosos passos. Devemos fazer o mesmo.

Podemos aprender bastante tanto da área corporativa como da comunidade de *hip-hop*. Sim, *hip-hop*; essa turma faz um ótimo trabalho ao honrar suas figuras legendárias. Quando você vê Jay-Z falar sobre *rap*, é como se tivéssemos tendo uma aula de história. Mas na mesma medida em que ele e outros líderes reverenciam seus pioneiros, também desdenham imitadores e, constantemente, buscam e celebram novos talentos. Isso é realmente notável. Em uma entrevista, perguntaram a Jay-Z sobre a nova safra de *rappers*, e ele imediatamente citou com facilidade dez ou mais *rappers* ativos. Isso seria impossível em nossa indústria.

Sei que esse é um modo indireto e longo de dizer: "Precisamos nos reunir, compartilhar o que aprendemos e preparar uma nova geração de líderes". Mas, devido à atenção que recai sobre mim como fundador da Experts Academy e da Expert Industry Association, tenho de aproveitar a oportunidade para compartilhar a história e o argumento básico. Procurarei ser mais gentil no restante das reestruturações.

...

Segunda reestruturação: foco renovado em inovação e distinção

O mundo dos experts está repleto de imitadores. Mas eles estão prestes a ver um rude despertar e ser varridos para fora por uma nova geração de criadores de conteúdo.

Embora as três últimas décadas tenham sido muito bondosas para a nossa indústria, uma leva de pretensos experts cresceu tentando imitar as figuras lendárias. Isso gerou uma comunidade que furta histórias, cita as passagens conhecidas, deixa de criar novo conteúdo e se apoia nos lauréis dos mitos. Poucos estão reinventando o jogo e isso tem de mudar.

Como exemplo desse problema, não há nada mais triste para mim do que oradores que ainda usam o acrônimo F.E.A.R (M.E.D.O). Esse é um acrônimo normal para discutir o medo: *False Evidence Appearing Real* (falsa evidência que aparenta ser real). Ele tem sido utilizado por mais de trinta anos e ainda o ouvimos o tempo todo. É péssimo.

Outro exemplo: orientadores que usam a história da estrela-do-mar. Ela é uma fantástica história, mas excessivamente utilizada. Se você ainda não a ouviu, em resumo: uma criança devolve uma estrela-do-mar ao mar, e um velho replica que há muitos desses espécimes na praia e que não há motivo para se importar. Isso não faz diferença, diz ele. O garoto devolve-a ao oceano e diz: "Fez a diferença para essa". Essa história tem sido atribuída a Loren Eiseley. Outra: a história da catedral. Um homem pergunta a alguns operários o que eles estão fazendo e um deles responde que está quebrando pedras para ganhar a vida, enquanto um segundo diz: "Estamos construindo uma catedral".

Que aversão! Não julgo essas histórias, elas são fantásticas. Ao contrário, trata-se de uma denúncia ríspida contra experts imitadores com falta de imaginação que não se preocupam com seu materiais e carreiras para criar e compartilhar novas histórias, metáforas ou exemplos. Nossa indústria tem obtido má reputação por ser repetitiva, prosaica e, simplesmente, acomodada, pois não estamos inovando nem criando novas ideias. Acredito que eu ecoo as vozes dos principais líderes de nossa comunidade quando digo coletivamente: "Culpa nossa!".

Além de reaproveitar velhas histórias, muitos também fracassaram na criação de novos valores num tempo relativamente longo. Talvez jamais devamos nos tornar uma indústria batida como o setor de camisetas e meias. Queremos ser a Apple, com lançamentos de novas, relevantes e originais ideias e produtos que promovam o avanço de nosso setor. Embora muitos discutam que a Apple lança um número exagerado de novidades lustrosas, perdi a conta de quantas versões do seu MP3 tenho. Não podemos nos apoiar em produtos e programas que venderam bem cinco anos atrás.

Lembro-me de estar em San Diego, com uma orientadora influente, após ela ter acabado de retornar de um seminário que assistira pela primeira vez há vinte anos. O desgosto dela inspirou-me a reproduzir esse particular comentário. Ela disse: "Brendon, aquele seminário não mudou nada nesse tempo todo! A pessoa que conduz o evento não se desenvolveu ou não aprendeu nada em duas décadas?". "Pior", ela continuou, "é que ninguém tem forçado (aquele guru) a mudar, pois eles se parecem lemingues e estão com medo de dizer: Evolua!"

Há realmente poucos produtos e programas que podem resistir ao teste do tempo. E ainda que o pudessem, o criador de um programa como esse tem o dever, diante de seu público, de fornecer novos valores e informações. Seria um desserviço lançar um programa arrasador e depois parar de fabricá-lo. Os clientes querem e merecem ter domínio, mas isso não é feito com um programa.

Fui muito criticado por esses argumentos. Muitas pessoas rejeitaram minha ideia apontando que, por exemplo, vários livros são clássicos, como aqueles do gênero de autoajuda. "Os conceitos de desenvolvimento pessoal são, sob um certo aspecto, sempre relevantes", dizem elas. Concordo. Livros como *Quem pensa enriquece*, *Como fazer amigos e influenciar pessoas*, *O alquimista* e milhares mais são espetaculares e o serão sempre, embora alguns deles tenham sido revisados.

Mas o que defendo não é que devamos descartar o material antigo. Em vez disso, simplesmente não temos de continuar reformando produtos do passado. Devemos nos desafiar a continuar fornecendo novas ideias, histórias e perspectivas distintas, além de informações valiosas em novos produtos ou programas.

Sei que essa pode ser uma tarefa difícil e é trabalhoso lançarmos novos materiais. Também é muito comum que novos experts estejam usando material ultrapassado sem sabê-lo. Como eles próprios dizem, não há nada novo nesse mundo e nada novo tem sido dito desde Adão. Todos nós temos de nos conformar com o fato de que tanto já foi dito nessa indústria que o que estamos ensinando talvez tenha sido ensinado de outro modo antes. Se você já foi repreendido por isso, pode se desculpar ("Uau, obrigado, eu não sabia que alguém já tinha dito isso anteriormente") ou abordar a questão e explicar os pontos distintos ("Sim, já ouvi que alguém ensinou isso anteriormente, mas sou diferente nisso").

Essa realidade passou muito perto de mim quando comecei. Como vocês recordam, o acidente de carro tinha me inspirado a pensar na minha vida e perguntar: "Será que vivi plenamente? Será que amei abertamente? Será que alguém se importou comigo?". Eu tinha compartilhado essas perguntas de forma um tanto geral, provavelmente durante três ou quatro anos. Então, um dia, após uma palestra, um mentor me informou que Norman Cousins tinha feito perguntas muito similares décadas antes de mim. Cousins, cujo trabalho passei a admirar tremendamente, mas de quem, até àquele momento, jamais ouvira falar, descobriu que as pessoas fazem essas perguntas quando avaliam suas vidas. Ele escreveu:

"A grande tragédia não é a morte, mas sim o que permitimos que morra em nosso interior enquanto vivemos. Quando você está no leito de morte, não está pensando em quanto dinheiro tem ou quantas coisas realizou. As perguntas que as pessoas geralmente fazem em seus leitos de morte são: 1. Será que vivi sabiamente? 2. Será que amei bem? 3. Será que servi muito?".

Você pode pensar que fiquei horrorizado ao descobrir essas similaridades. Pelo contrário, ler a passagem de Cousins tornou-se um dos momentos mais recompensadores da minha vida. Fiquei tão feliz de descobrir que não era o único que acreditava nessas coisas! Isso me fez sentir conectado a nossos valores e experiências universais como ser humano. Provou-me que o que eu sabia que era verdadeiro também era verdadeiro para os outros.

Dito isso, tive de, rapidamente, começar a explicar minha perspectiva para evitar quaisquer futuros problemas. Encontrei, recentemente, o transcrito de uma palestra em meus arquivos pessoais que mostram que eu abordara o tema lá em 1999, muito antes de me tornar famoso por minhas três perguntas com o lançamento do livro *A vida é um bilhete premiado*. Embora seja uma passagem relativamente longa, pensei que incluí-la aqui poderia ajudar a revelar como você pode, aberta e honestamente, abordar quaisquer similaridades que a mensagem de sua vida possa ter com o trabalho de outras pessoas. A verdade é que todos temos experiências comuns e, quando compartilharmos as mensagens de nossas vidas com frequência, incorreremos em certas sobreposições. Mas, mesmo que tudo tenha sido dito, o que é novo é nossa própria experiência única de aprender com nossas lições, obter nossos próprios resultados e criar novo valor para as pessoas. Tomara que essa transcrição o faça se lembrar disso.

Dos arquivos

"Como tenho compartilhado desde meu acidente de carro, que foi o momento mais importante e, também, assustador de minha vida, descobri uma porção de coisas sobre mim mesmo e o mundo. Quando estava me recuperando, continuei a pensar sobre tudo o que tinha acontecido. Ainda hoje me lembro daqueles últimos momentos da capotagem, da vida prestes a se acabar e de aprender quão importante ela era. Cheguei à conclusão de que perguntaríamos se vivemos plenamente, amamos abertamente ou fizemos a diferença, pois, naquela experiência, me perguntei se fui ou não suficientemente audaz, se me conectei suficientemente ou se tinha vivido por algo e alguém que não fosse eu. A triste realidade é que detestei minhas respostas. Eu era apenas um jovem rapaz sem direção, que não sabia muitas coisas, até que dei de frente com as maiores lições da vida."

Desde então, tenho servido como voluntário em hospitais psiquiátricos, e tenho visto tantas pessoas enfrentarem as mesmas perguntas: "Será que vivi plenamente? Será que amei incondicionalmente? Será que fui importante para alguém?". Acho que é bom saber que essas são perguntas que talvez queiramos responder no fim; assim o melhor é ter uma vida tão boa para ficarmos felizes com nossas respostas.

Essas perguntas não foram meus únicos achados. No ano passado, um amigo me mostrou uma passagem de Norman Cousins e isso significou muito para mim. Foi algo que validou o que eu pensava e me surpreendeu de uma só vez. Ele tinha escrito muito antes de mim que as pessoas em seu leito de morte perguntam: "Será que vivi sabiamente? Será que amei incondicionalmente? Será que servi muito?". Foi tão maravilhoso saber disso, pois topei com uma lição que outros tinham descoberto que era verdadeira. De fato, se você conhecer qualquer trabalhador de hospital psiquiátrico ou conselheiro de pessoas prestes a morrer, eles lhe dirão praticamente a mesma coisa: "Sim, as pessoas refletem sobre suas vidas, e se perguntam se realmente viveram, a quem amaram e que impacto tiveram". Trata-se de um preceito universal, de modo que não estou querendo crédito por isso em hipótese alguma, certamente gerações de pessoas descobriram isso antes de Cousins, de mim ou de qualquer outra pessoa que tenha escrito sobre o tema. Eu apenas espero contar minha história e perspectiva únicas.

A única coisa que pode ser singular sobre minhas três perguntas resume-se, suponho, à escolha das palavras. Cousins perguntou se vivêssemos "sabiamente", mas eu me fiz uma pergunta diferente, se vivêssemos "plenamente". A diferença é sutil, mas importante para mim, pelo menos em como eu vivo. Quero viver de modo vibrante e arrebatador pelo planeta como um fogo de artifício, tomar decisões tolas e me aventurar. Mas, quem sou eu? Sou apenas um jovem rapaz, pois o escritor disse viver sabiamente e Buda usou a mesma frase quando disse: "Até a morte não é para ser temida por uma pessoa que tenha vivido sabiamente". Ele também falou sobre amar "bem", mas eu provavelmente era jovem demais para saber o que isso significava quando pensei nas três perguntas. Para mim, amar "incondicionalmente" foi meu termo preferido, pois eu tinha ficado extremamente fechado para o amor quando jovem, após o rompimento com a primeira garota que amara. Para mim parece que sempre que o amor dá errado, há uma relação muito grande com o grau de abertura em que realmente estávamos.

De qualquer modo, a última palavra proferida foi importante para mim, suponho, na época, e diz muito sobre o que tento fazer hoje. Cousins falou sobre se, ou não, "servimos muito", o que eu considero uma frase maravilhosa. Quando dei de frente com a realidade, acabei pensando nisso diferentemente, como um jovem rapaz. Eu não pensava sobre servir muito, embora, como disse, goste disso, mas jamais pensava que poderia fazer uma "grande" diferença. Acho que muitas pessoas não imaginam que podem transformar milhões de vidas ou desempenhar "com excelência" alguma função e fazer coisas grandiosas que mudem o mundo. Algumas delas apenas querem fazer a diferença para uma pessoa, e talvez não considerem isso um feito grande ou grandioso, o que é péssimo. "Nós não temos de mudar o mundo; apenas temos de mudar o mundo de uma pessoa", é algo que ouvi uma vez. Assim, pergunto: "Fiz alguma diferença?" E não: "Fiz algo grandioso?" Talvez seja apenas uma coisinha. Porém, fiz alguma diferença? Isso é o que pergunto.

Naturalmente, toda essa explanação é apenas semântica, mas realmente significou muito para mim quando descobri que meu acidente de carro e minhas experiências em hospitais psiquiátricos levaram-me a conclusões similares que outros já tinham tirado. Isso me ajudou a concluir que estamos na mesma jornada da vida, descobrindo coisas similares. Espero que todos nós tentemos compartilhar esses achados similares, mesmo se eles se verbalizarem de formas diferentes ou se forem baseados em nossa própria perspectiva. Viver, amar e fazer coisas boas são valores universais que todos achamos importantes, e espero que isso tenha me ajudado a revelar um pouco a você sobre eles.

A conclusão final dessa seção é a seguinte: seja distinto. Compartilhe suas próprias histórias e crie seu próprio conteúdo. Agregue continuamente novo valor e entusiasme as pessoas. Isso é o que elevará nossa reputação e nossas receitas nessa indústria. Se por qualquer razão seu trabalho terminar sendo similar ao de outros, o que de fato ocorrerá, aborde esse problema. Mas, efetivamente entenda que o ensino de temas pode ser similar na natureza por causa de nossas emoções humanas e experiências universais, mas nossos produtos ou programas de treinamento devem ser muito singulares à nossa marca. Isso faz sentido?

...

Terceira reestruturação: aperfeiçoamento da marca

Você já participou de um seminário e lhe deram uma pasta de má qualidade repleta de "recursos" que pareciam de material que fora fotocopiado por anos? Recebeu pelo correio um livro de publicação própria de mau gosto que parecia ter sido desenhado por um gorila? Ou acessou o site de um guru somente para visualizar uma página de rosto idêntica a um cartão-postal de 1995?

Tenho feito essas perguntas a audiências de toda as partes do mundo, e todas as pessoas riem e levantam a mão, reconhecendo-se em tal situação. É divertido, mas trágico.

É vital que, na condição de uma comunidade, comecemos a fazer com que nossos sites, produtos e programas tenham um visual melhor. Como a Apple fez para o computador pessoal e os dispositivos móveis, devemos aperfeiçoar o design e a estética geral de nossa indústria. Precisamos estar conscientes da significativa transformação sofrida pela nossa sociedade, da função à forma, de comprar produtos comuns a produtos criativos, personalizados e coloridos. As pessoas não gostam de lixo ou desordem e nós, como um grupo de profissionais, geralmente somos acusados de criar sites repletos de ambos.

Para falar sem rodeios, nossa indústria precisa de uma cirurgia plástica. Como observador, vejo três áreas-chave que exigem um trabalho imediato de maquiagem. Primeiro, devemos renovar nossos sites para que sejam mais modernos e interativos, o que significa ter blogues contendo vídeos com seções de comentários. Precisamos também melhorar a percepção de que nossos sites de cadastramento valem o tempo e o dinheiro das pessoas. Elas devem gostar e ficar orgulhosas de fazerem parte de nossas comunidades on-line. Qual foi a última vez em que você viu alguém ter esse tipo de sensação?

Segundo, devemos começar a melhorar a percepção de que nossos produtos enviados se pareçam prontos para o varejo. Os programas em DVDs de estudo domiciliar, programas de áudio, pastas, planilhas e recursos enviados pelo correio nessa indústria são de péssima qualidade. Essa avaliação é para praticamente todos os produtos, exceto para os 2% do topo. Acredite em mim, eu não sou um esnobe em design, e não sou a favor de gastar muito dinheiro com designers gráficos. Entendo que ainda há um grupo central de profissionais de marketing instruindo as pessoas para que "façam rápido, façam barato e entreguem rápido". Sei também que muitos clientes não se importam com a aparência das informações, eles somente querem o conteúdo e o conhecimento e não se importam com a embalagem.

Todas as objeções para que nossos produtos melhorem o visual realmente fazem sentido num mundo de silos. Se pudermos aumentar nosso campo de influência de modo a entender que somos uma comunidade com carreiras genuínas num negócio real, podemos entender que nossa comunidade tem uma reputação singular. Infelizmente, produtos com má aparência são como uma onda num lago e afetam toda a estética de quem somos. Se todos progredirmos e tivermos produtos com boa aparência, poderemos desfrutar dos benefícios de uma base de clientes mais impressionada e satisfeita.

Finalmente, precisamos urgentemente de uma renovação em nosso enfoque na realização de seminários. Com a exceção de provavelmente cinco ou dez marcas, a indústria ainda está hospedando seminários, workshops e congressos em hotéis de aeroporto de baixa qualidade, com luz fraca, ventilação deficiente e cadeiras desconfortáveis. Pior, os promotores mal estão investindo dinheiro em iluminação, som, consolidação da marca e materiais. Isso é uma vergonha, e jamais ocorreria no mundo corporativo. Acreditem em mim, sei que pode doer no bolso gastar um pouco mais com esses itens, conduzo mais de 12 eventos presenciais ao ano e hoje gasto milhões de dólares fazendo-os funcionar bem, pois vejo que os clientes querem promotores que obtenham taxas mais baixas de hospedagem para eles, em hotéis acessíveis e com passagens aéreas baratas. Mas, não custa muito mais caro encontrar um bom hotel, exibir alguns banners com design apreciável, contratar pessoas especializadas em apresentações audiovisuais e fornecer materiais para seminários com boa encadernação e impressão. Há, talvez, mais detalhes, mas o que quero dizer é que todos nós temos de reaprender a frase "os detalhes são importantes". Independentemente de você estar realizando um seminário gratuito ou um de ingresso caro, seu trabalho é deixar o lugar com aspecto e ambiência incríveis. Temos esse compromisso com nós mesmos e com nossos clientes.

Essas três reestruturações são muito importantes. Quando migramos de uma indústria paralisada em seus próprios silos para uma comunidade que cria e compartilha melhores práticas, todos triunfamos. Quando fornecemos conteúdos e programas criativos, inovadores e distintos, todos nós elevamos o nível do jogo. E quando renovamos nossos visuais e nossas marcas para sermos mais minimalistas e contemporâneos, acabamos com a má reputação com a qual somos associados.

Podemos fazer melhor. É hora de olharmos para nós mesmos como uma indústria singular, com uma reputação singular, em que todos podemos nos aperfeiçoar. A mudança deve começar internamente. A revolução e a reestruturação estão prestes a acontecer. Junte-se a nós.

A reestruturação externa

As três reestruturações anteriores focavam no que devemos fazer internamente para melhorar nossa indústria e reputação. As próximas três são ações que podemos executar com nossos clientes para continuar o ímpeto.

...

Quarta reestruturação: transição de comunicação de vendas a comunicação de valor

Uma coisa curiosa ocorreu no gerenciamento de listas nos últimos cinco anos. Os gurus começaram a enviar cupons pelo correio as suas listas de contatos, seguindo a escolha fraca e ineficaz de comunicação e marketing dos Estados Unidos corporativo. Eles também decidiram que enviariam ou newsletters de conteúdo ou mensagens de vendas. Isso foi simplesmente ineficaz.

Neste exato momento, somos apanhados por uma onda em que recebemos de vários experts um número impressionante de e-mails voltados para vendas. Eles não enviam mais e-mails com valor, somente links que direcionam até páginas ou funis de vendas. Em minha opinião, essa tática deve mudar e isso tem que ser feito agora.

A reestruturação na indústria finalmente atingirá equilíbrio entre vendas e valor quando combinarmos os dois em vez de forçarmos uma decisão entre uma coisa ou outra. Se você é um dos meus assinantes, sabe que praticamente todo e-mail que envio agrega valor, inclusive quando estou promovendo o produto de outro profissional ou oferecendo uma venda própria.

Por exemplo, promovi recentemente um curso informativo de um amigo sobre mídia social. Praticamente todos que promoviam o mesmo curso simplesmente enviavam um e-mail a seus assinantes em que constava: "Há um novo e maravilhoso curso, clique aqui para comprá--lo". Não havia nenhum valor oferecido e, portanto, seus e-mails eram o que denomino "comunicação de venda".

Concebi uma abordagem diferente. Sentei e refleti sobre meu cliente e o que estava fazendo na mídia social que funcionava bem. Então, me dirigi até meu estúdio de vídeo e fiz um vídeo informativo explicando minha melhor estratégia para mídias sociais. No final do vídeo, essencial-mente disse o seguinte:

"Espero que isso sirva para o seu próprio negócio. Se você quiser ter mais treinamento sobre mídia social, não sou realmente um expert, mas você pode clicar no link abaixo deste vídeo para aprender sobre o novo treinamento de meu amigo nesse campo. Acho que você gostará muito dele. Se, eventualmente, você se inscrever no curso de meu amigo, eu lhe darei dois de meus cursos de treinamento como brindes. Esses dois cursos realmente complementam o dele, assim você terá o dobro de valor".

Dessa maneira, agreguei valor fazendo o mesmo que os experts: ensinando. Ensinei a meus assinantes algo útil, independentemente de comprarem ou não o programa de meu amigo. Portanto, ninguém ficou aborrecido nem desgostoso. Isso exige um pouco mais de esforço? Certa-mente que sim. Mas mantive uma boa reputação com minha lista, pois fiz o que lhes prometi, que é agregar valor a suas vidas. O resultado é que eu fui o principal promotor daquele curso e isso me rendeu mais de US$ 200 mil em comissões de afiliação. As comissões de afiliação me pagam uma porcentagem das vendas quando as pessoas se inscrevem para fazer o curso de meu amigo, que eu exibi às pessoas em meu vídeo e na página que o hospedava.

Esse exemplo ilustra que não devemos escolher entre agregar valor e vender, e penso que é importante que a comunidade comece a fazer isso. A maioria dos gurus bem-sucedidos do mercado, incluindo aqueles que atuam no marketing digital, já está liderando o caminho e tem estado nessa trajetória há um bom tempo. Agora, todos os outros devem segui-los.

Na arena de vendas, acredito também que seria proveitoso se a nossa comunidade começasse a refletir mais no planejamento estratégico de nossas comunicações e programações promocionais. Acontece que muitos experts efetivamente não têm uma programação promocional planejada. Pelo contrário, eles terminam no final do mês concluindo: "Oh, creio que seria bom enviar uma newsletter mensal hoje. Vou descobrir um tópico para escrever ou encontrar algo para vender". Isso não passa de má gestão e de prática ruim.

Suponho que eu tenha sido abençoado por receber assessoria de muitos dos melhores varejistas do mundo e por ter alguma perspectiva nesse campo. Lembro-me de falar com gerentes de produtos na Nordstrom e Best Buy, e de ficar surpreendido de como eles planejavam antecipadamente suas promoções e lançamentos de produtos. Varejistas sabem que o que estão fazendo não é apenas para os próximos meses, e sim para as próximas estações ou trimestres. Precisamos aprender essa habilidade e sermos mais diligentes com o planejamento de como e quando agregaremos valor e venderemos.

Finalmente, como o último ponto em vendas, acredito que nossa comunidade inteira respiraria aliviada se todos nós nos notificássemos sobre nossas próximas promoções. Não consigo lhe informar quantos e-mails recebo com esse conteúdo: "Amanhã lançaremos nosso novo X, por favor promova para mim!". Vamos nós todos dar avisos com diversos meses de antecipação sobre o que estamos fazendo e aposentarmos para sempre a correria do "tudo em cima da hora".

Com as vendas deixadas de lado, vamos falar sobre valor. O que constitui valor no mundo de "como fazer de forma prática e útil" tem evoluído década após década. Um artigo numa newsletter não é mais suficiente para manter um público engajado e satisfeito. A maioria dos clientes me diz que o valor para eles significa que recebem efetivo conteúdo e ideias implementáveis que possam usar no mesmo momento. Enviar às pessoas vídeos engraçados e artigos ou posts curtos e gerais em blogues não é valor, é apenas distração.

Para servir a seus clientes o melhor, pense sobre quais são seus objetivos e envie treinamento útil que os ajude a mudar de um ponto para o outro. Forneça uma ideia simples a implementar, mas também dê o panorama geral e o processo. Pergunte a si mesmo: "Se recebesse essa comunicação, a consideraria valiosa pessoal e profissionalmente, e seria capaz de fazer algo novo e importante após vê-la?"

Novamente, entendo que tudo isso envolve trabalho. Mas, de qualquer modo, é o que fomos talhados para fazer, ensinar o que serve ao cliente.

...

Quinta reestruturação: atingir excelência no serviço ao cliente

Tudo o que mencionei até aqui fará pouco para melhorar a reputação de nossa indústria se, paralelamente, não melhorarmos nosso enfoque de serviço ao cliente de um modo coletivo. Um serviço ruim tem sido a expectativa dos clientes, por causa disso, poucos deles compram ou enviam mensagens enfastiadas, agressivas e irreverentes para obter o que querem. Um de meus amigos recentemente disse: "Um número muito grande de novos clientes de nossa indústria age como idiotas céticos, e isso é nossa própria falha".

Desde o primeiro dia, estive obsessivamente focado no serviço ao cliente. Meu grupo sempre assegura que respondamos às pessoas ao menos no mesmo dia útil em que recebemos uma ligação telefônica ou um e-mail de um cliente. De modo geral, respondemos dentro de uma hora, exceto durante períodos promocionais de grande demanda, quando ficamos sobrecarregados. Fazemos nossos testes, devolvemos e deixamos claras nossas políticas de reembolso em nossos vídeos, em nossas páginas de confirmação de pedidos e em nossos prazos e condições para cada produto ou programa que lançamos. Para ser totalmente transparente, enganei-me durante uma promoção quando não fomos suficientemente claros sobre a política de reembolso, e essa situação gerou angústia e discussões desnecessárias. Você, de modo geral, aprende sobre serviço ao cliente da forma mais complicada em nossa indústria. Mas, em geral, eu diria que temos uma reputação muito forte e positiva por mantermos um ótimo serviço ao cliente.

Infelizmente, isso significa muito pouco nos dias de hoje. Sim, você me ouviu afirmar isso: ter uma ótima reputação no serviço ao cliente não significa tanto como você poderia imaginar em nossa indústria. Agora, antes que eu receba e-mails me criticando por dizer que uma boa reputação não é importante, deixe-me explicar a razão de eu ter dito isso. Duas realidades sobre o contexto maior de fazer negócios como um expert lhe servirão aqui.

Primeira: a maior parte de suas vendas sobre qualquer promoção nos dias de hoje deriva de compradores que jamais ouviram falar de você, especialmente quando está no início de sua atividade. Eu sou relativamente famoso, mas 72% dos compradores em minha última promoção jamais tinham ouvido o meu nome. As pessoas que acessam seu funil de vendas são geralmente potenciais clientes novos em folha, que nunca ouviram seu nome e que desconhecem totalmente sua reputação. Como a comunidade de experts não é ativa no Yelp ou em outros sites voltados para a avaliação de clientes (sim, isso mudará também), não há muitas informações disponíveis sobre as personalidades, os produtos e as organizações de nossa indústria. É estranho, porque outras indústrias são bem orientadas por avaliações comunitárias de produtos.

Segunda: como a maior parte das pessoas que compra de você jamais ouviu falar seu nome, elas seguem um padrão quanto às premissas preconcebidas sobre a indústria como um todo. Isso é horrível. Digo isso, pois, historicamente, os gurus têm sido tão impelidos pelo ego ou adorados por fãs lenientes que nunca viram o serviço ao cliente como uma prática do negócio. Celebridades e estrelas do rock têm péssimos serviços ao cliente pela mesma razão.

Devido a esse péssimo hábito do passado com o serviço ao cliente, todos nós perdemos. Pessoalmente, estou cansado de clientes que me telefonam ou enviam e-mails, mesmo antes de comprarem algo, que são enfastiados, grosseiros, céticos ou desnecessariamente desafiadores com suas perguntas. Essa é uma insensatez tão grande, pois provavelmente temos uma das melhores reputações na comunidade de experts. Entregamos o que prometemos e mais, temos boa capacidade de dar respostas; preocupamo-nos profundamente com o sucesso de nossos clientes e, se ocorre algum imprevisto, comunicamos ainda mais nossos termos e condições. No entanto, apresento a seguir um e-mail não editado que recebemos durante nossa última promoção:

"Ei, acho que gosto de seu material e que vou comprá-lo, mas preciso de uma garantia de que vocês não são como os outros nessa indústria que nos enganam e mentem sobre reembolsos e garantias. Se eu não gostar de seu material (blasfêmia), quero saber se posso devolver essa (blasfêmia) imediatamente; se não, não vou comprá-lo. Portanto, me informem, vocês são pessoas decentes ou ladrões como os demais?".

Isso não fala muito sobre as premissas que esse indivíduo tem sobre a comunidade de experts? Você tem de entender que a maior parte das pessoas procura a indústria de gurus com esse nível de energia e precaução nos dias de hoje. Gurus e experts de todas as indústrias estão com má reputação nos últimos anos, e isso é trágico. Não é falha de ninguém, exceto daqueles, na comunidade, que estragam a situação para o restante.

Quero enfatizar que não acho que a maioria dos experts no mercado é de pessoas fracas de negócios, que agem sem integridade ou com algum tipo de malícia no trato com clientes. Creio piamente que quase todos os membros de nossa comunidade são especialistas extremamente amáveis e comprometidos. Apenas há aqueles poucos que mancham a nossa imagem. E, embora praticamente todos nessa comunidade sejam bons e caridosos, essas pessoas são, de fato, extremamente atarefadas e administram pequenas empresas, portanto, isso leva-me a concluir que é a distração e a falta de recursos que têm gerado à nossa indústria uma reputação de mau serviço ao cliente.

A boa notícia é que essa situação pode ser fácil e rapidamente corrigida se todos decidirmos mudar de atitude e reorientar nossa bússola para os clientes, tanto antes como depois da compra. Num nível financeiro, devemos recordar a nós mesmos que o valor permanente de um cliente merece assegurar que eles sejam satisfeitos, bem tratados e bem servidos.

Além de dar nossa pequena contribuição nessa reestruturação, praticando o que pregamos, também engajamos nosso grupo para garantir que a Expert Industry Association reconheça e homenageie produtos conhecidos por um excelente serviço ao cliente.

...

Sexta reestruturação: celebre mais, espere mais

No final da década de 1980, houve uma mudança sutil, mas distinta, no tom que vinha da indústria de experts. E não se tratava de uma boa mudança. Engolfados pelo mantra "a ganância é uma coisa boa" de Wall Street e pelas celebrações de atletas escandalosos e CEOs heroicos, ficamos desorientados. Muitos gurus e experts de autoajuda começaram a aplicar duas práticas deficientes.

A primeira, e isso me aborreceu profundamente, foi que os especialistas começaram a falar e escrever num tom que beirava à intimidação de seus clientes. Tinham acabado aqueles tons honrados de experts e escritores do passado. Quem os substituía eram os "gurus de campos de treinamento militar", o expert que o encarava diretamente com uma conversa dura, e que era muito mais sintonizado com seus problemas e a realidade que você. De fato, para esses gurus, toda a sua vida está confusa. Você está agindo como um sonâmbulo nela. Você não sabe o mal que seu inconsciente está fazendo, desencaminhando tudo o que faz. Você está arruinando seus relacionamentos, seu trabalho e está arriscando seu futuro. Oh, e você é preguiçoso e burro. E ninguém o ama por causa disso.

Embora possa parecer exagerado, a realidade é que as pessoas estavam realmente dizendo essas besteiras. E isso ainda acontece hoje! Apanhe um livro de autoajuda e parece que ele foi escrito para fracassados totais, que perderam todo o controle de suas vidas. Os autores desse nicho começaram a escrever e falar para o menor denominador comum. Toda a indústria começou a soar como aquela frase intimidadora, horrivelmente gritada, através da qual o Dr. Phil se tornou famoso: "O que vocês estavam pensando, estúpidos?".

Apenas para constar, gosto do trabalho do Dr. Phil, particularmente de seus livros, e vejo que ele ajudou milhões de pessoas. Também considero óbvio ele usar essa frase com um senso de provocação e humor que a torna palatável (às vezes) e que ele, genuína e realmente, preocupa-se com seus clientes e seu público-alvo.

Mas os experts se tornaram muito intimidadores e, ao mesmo tempo, condescendentes, e começaram a escrever e instruir como se estivessem dando apoio profissional a crianças, ou aos mais desajustados ou gravemente fora da realidade entre nós.

É hora de termos um novo tom. É hora de honrarmos mais nossa audiência. Vamos assumir que as pessoas estão fazendo o melhor, não o pior; que elas são capazes, não incapazes; e que estão relativamente sintonizadas, já que nos procuraram para obter conselhos na primeira oportunidade. Pessoalmente, não acho que as pessoas estão perdidas ou agindo como sonâmbulas em suas vidas. A exemplo de todos nós, elas estão muito cientes de seus problemas e suas realidades, e buscam alguma inspiração e instrução para atingir o próximo nível. Tenho um grande respeito e admiração por meus clientes e público-alvo, e falo para eles como semelhantes, não como um guru, conselheiro militar ou sargento de treinamento.

Certamente que, nesse ponto, é normal que as pessoas digam: "Sim, Brendon, tudo isso está ótimo, mas anda logo, rapaz! Você e nós sabemos que a mídia premia o susto, o temor e a fala do sargento de treinamento para o recruta humilde". Infelizmente, concordo. Mas também acho que nós temos a opção de escolher o que jogaremos na vida a fim de sermos remunerados e reconhecidos. Pessoalmente, não creio que valha a pena não sermos autênticos ou intimidarmos as pessoas apenas para atrair sua atenção ou a atenção da mídia.

Vamos começar acreditando em nossos clientes e olhá-los com a mesma admiração que eles têm para conosco. Ao honrarmos nossa audiência mais uma vez, eles trarão uma reputação de honra para nossa indústria.

Em seguida, da mesma forma como os honramos, vamos também começar a esperar mais de nossos fãs, seguidores e clientes. Claramente, este capítulo tem sido sobre nossa expectativa maior de nós mesmos como experts influentes, mas quero que a ênfase agora seja sobre esperar mais de nosso público.

Não sei exatamente quando isso começou a acontecer (minha pesquisa e entrevistas indicam em meados da década de 1990, mas essa conclusão não é definitiva), porém houve uma transformação na indústria quando repentinamente se tornou normal e bem conhecido que nossos clientes não estavam implementando o que lhes instruíamos. Repentinamente, houve uma atitude de não intervir sobre os resultados que nossos orientandos obtinham quando implementavam nossos conselhos, ideias, estratégias, processos ou sistemas. "Bem, não posso controlar se eles implementam ou não meu treinamento", ou seja, "oh, bem..." fora a atitude.

Essa atitude é tão dominante na atualidade que tem originado uma geração inteira de experts que fazem pouco para estabelecer expectativas, desafios, sistemas de prestação de contas ou programas de monitoramento com clientes. Por sua vez, os clientes de nossa indústria não estão implementando e obtendo resultados, o que prejudica nossa reputação novamente. É hora de uma reestruturação nessa questão também.

Não tenho a intenção de ter todas as respostas e, como todos os demais, quero que mais de meus clientes efetivamente usem e implementem meus programas. Como todas as pessoas, ficaria feliz se mais de meus clientes ao menos abrissem o livro ou os DVDs que encomendam!

Com toda a seriedade, podemos iniciar a reestruturação imediatamente se mudarmos nosso tom e nosso palavreado com nossos clientes. Podemos iniciar informando-lhes diretamente que queremos somente orientandos sérios, e que esperamos que eles ajam. Às vezes, apenas ter alguém nos dizendo que podemos aumentar nossos padrões pode ser um ímpeto para efetivamente mudarmos. Podemos instigar o desejo e desafio neles sem sermos sargentos de treinamento. Tudo o que devemos fazer é sermos inspirações maiores e fornecer a nossos clientes mais ferramentas, objetivos e comunicações de monitoramento. Podemos dizer coisas verdadeiras e não fazê-lo como marketing:

"Veja, se você for como muitos de nós, há um número reduzidíssimo de pessoas em sua vida que o está alçando a um padrão elevado de excelência. As pessoas querem protegê-lo e mantê-lo seguro, e o fazem com prudência para não forçá-lo de forma muito rápida e violenta. Porém, nossas trajetórias se interceptaram, pois você acreditava que era capaz de mais, muito mais, e buscava novos meios de atingir o maior potencial nessa área. Assim, vamos entrar em acordo. Se você é uma pessoa que deseja genuinamente obter sucesso, e quer verdadeiramente implementar o que ensino, vamos lá! Mas nossa indústria está repleta o bastante de pessoas que nos enchem de perguntas e jamais compram nada, e de gurus inescrupulosos que vendem e somem. Assim, vamos ao acordo. Você implementa esse material e eu o seguirei juntamente com você com uma série de lembretes de nosso sistema. Necessitamos de mais indivíduos executores e, se você se enquadra nessa classe, vamos começar. No entanto, se sentir que está apenas 'testando' meu material e se intrometendo moderadamente nessa área, talvez deva navegar por meu blogue, mas não queira ser um aprendiz. Estou fixando um padrão alto para meus aprendizes e espero que você tenha um alto padrão caso se torne um deles".

Talvez isso pareça demasiadamente sentimentaloide, e não o melhor argumento ou estratégia de marketing. É mais fácil dizer: "Ei, limite-se a comprar meu material e veremos se ele se encaixa às suas necessidades". Mas eu sinto que é importante que nosso programa inspire as pessoas a visualizar um alto padrão e a implementar nossas ideias. Sinto que as mudanças geralmente ocorrem quando nos comunicamos diferentemente do mercado, já que essa é uma área fácil para fazer mudanças.

Dou o melhor de mim para exigir muito de meus clientes se eles não fazem o que disseram que fariam. Mantenho altas expectativas para eles e para mim mesmo. Tento dar a meus clientes listas, amostras e recursos necessários para que ajam. No entanto, ainda posso melhorar nisso. Todos podemos. Hoje é o dia em que todos devemos começar.

Um tributo

Tenho a consciência bem lúcida de que, ao escrever um capítulo como este, corro o risco de parecer uma pessoa negativa e que julga excessivamente nossa comunidade de experts. Provavelmente serei criticado em alguns blogues por ser muito audacioso ou convencido ao lançar essas premissas. Meu objetivo aqui, no entanto, não era o de ser negativo ou desrespeitoso. Sei que não passo de um player médio dessa indústria, e não escrevi este capítulo para autoengrandecimento ou para acusar ninguém. Minha meta era me beneficiar completamente dessa plataforma para ajudá-lo a liderar essa indústria. E, para liderar, devemos ser transparentes sobre onde estamos e como podemos melhorar, até apontarmos o que não está funcionando, não podemos servir plenamente a nossos clientes ou desenvolver nossas carreiras ou nossa comunidade.

Contudo, há muitas coisas que estão corretas nessa indústria. Nosso trabalho muda a vida das pessoas para melhor e isso é extraordinário. Nossa comunidade é a mais criativa, brilhante, reflexiva e preocupada em relação a qualquer outra que eu tenha testemunhado. Eu, com tranquilidade, desafiaria qualquer pessoa a encontrar outro setor que tenha ajudado tantas pessoas a terem vidas mais plenas, ricas, felizes e significativas do que o nosso.

Espero que você tenha sentido nossa alegria, apreciação e nosso entusiasmo por termos a oportunidade de seguir uma carreira como expert. Essa indústria transformou radicalmente a minha vida e transformou milhões de vidas antes de mim. Agora é hora de continuar o bom trabalho daqueles que chegaram antes de nós e que, ao mesmo tempo, elevaram nossa indústria a um patamar mais alto. Espero que você se junte a nós.

•••

CAPÍTULO 10

Confiando no que você fala

Percorremos um longo caminho. Caso eu tenha cumprido eficazmente a missão de um especialista, espero que você se sinta inspirado e instruído sobre poder melhorar sua vida. Você pode fazer a diferença e ter uma renda com o que sabe. Suas recomendações e suas experiências de vida são mais valiosas do que você jamais imaginou. Você pode ter uma carreira genuína como um expert empreendedor se, simplesmente, se posicionar, embalar seus produtos, se promover e formar parcerias com terceiros para transmitir sua mensagem ao mundo.

Você pode fazer isso. Agora é a hora. Quando você começar a atingir milhões de pessoas e ganhar quantias milionárias, terá se tornado um verdadeiro mensageiro milionário. Ainda que jamais alcance esse nível, compartilhar sua mensagem com quaisquer pessoas será sempre um ato significativo e uma trajetória verdadeira para o propósito e a realização na vida. Há significado em dar tutoria a outros e satisfação em servir.

Se você leu este livro até aqui, já sabe mais sobre sua carreira e indústria do que eu sabia quando comecei. Tenho ganhado milhões de dólares com esses conceitos e ajudei milhões de pessoas. Estou tão entusiasmado para saber o que você fará com tudo isso! Você tem uma base fantástica e tem uma grande vantagem inicial em relação à próxima geração de gurus. De fato, você provavelmente sabe mais do que a maioria dos experts que estão atualmente em atividade, pois, até agora, poucas pessoas têm compartilhado suas melhores práticas. Se você encontrar, acidentalmente, com experts em atividade ou que estão lutando com dificuldades em suas estimulantes e novas jornadas, queira, por favor, dar a eles este livro ou os ajude. Todos nós precisamos ajudar e honrar nossos colegas mensageiros.

Eu não sei por que você está lendo este livro agora, mas me sinto honrado de que nossos caminhos tenham se cruzado e de ter sido capaz de compartilhar com você o que aprendi. O que ainda estou aprendendo. Os experts são aprendizes primeiro. Foi uma grande alegria escrever este livro para você e nossa comunidade.

Depois de trabalhar com dezenas de milhares de experts e gurus de recomendações mundo afora, não sei por que você encontrou minha mensagem neste ponto de sua vida. Acredito que esteja aqui porque, em seu íntimo mais profundo, há uma vontade incansável de compartilhar sua voz com o mundo de uma forma grandiosa. Talvez você tenha selecionado este livro porque decidiu contar sua história e experiências de vida com os demais pela primeira vez. Ou, talvez, você já esteja compartilhando sua mensagem e esteja buscando novas ideias e estratégias para amplificá-la ainda mais, de um modo mais amplo, eloquente e lucrativo.

Independentemente do que seja, acredito no fato de que, se você está aqui, tem algo a ver com sua voz neste mundo. Se isso é verdade, gostaria de contar mais uma história antes de me despedir.

Sobre Sarah

Sarah foi minha orientanda, mas acabou sendo minha professora. Quando eu fazia faculdade, tive a oportunidade de dar algumas aulas sobre como expressar-se em público. Eu estava extremamente animado por ocupar uma posição em que podia desenvolver e instruir alunos. Empenhei todos os esforços nas minhas aulas, reinventando meios através dos quais a oratória pública tinha sido ensinada, e instruindo com todo o entusiasmo que eu tinha. Era novato nessa profissão e, como desvantagem, não tinha ideia do que estava fazendo. No entanto, dei meu melhor à época e senti que foi uma experiência profundamente significativa.

Mas, como geralmente ocorre com os novos professores nos últimos meses de meu primeiro ano, fiquei esgotado. Tinha me esforçado muito naquele semestre e, repentinamente, não sentia que estava fazendo mais nenhuma diferença. E, então, conheci uma aluna reservada, retraída e tímida chamada Sarah.

No começo do semestre, ela não parecia ser uma garota problemática. Participava de todas as aulas e não se atrasava. Mas, logo ela começou a ter problemas. Faltou em suas duas primeiras apresentações orais e simplesmente não apareceu nos dias em que teria de apresentar as lições de casa. Isso por si só garantiria sua reprovação no curso. No entanto, mesmo após perder aqueles dois dias cruciais, ela continuou a frequentar regularmente as aulas. Prossegui nas tentativas de conversar com ela após as aulas, mas havia tantos alunos me fazendo perguntas que Sarah parecia sempre sair tranquilamente da sala de aula antes que eu pudesse, de fato, falar-lhe algo.

Três semanas antes dos exames finais, postei as tarefas de oratória para a turma, listando os nomes de quem iria dar as palestras nos dias designados. O nome dela não constava na lista. Ela nunca tinha dado uma palestra e já tinha sido reprovada no curso, por isso não incluí seu nome. Passados alguns dias, enquanto ajudava outro aluno durante o turno de professor, vi Sarah entrar em minha sala, com um olhar bastante encabulado. Ela roía as unhas e ficou com os pés irrequietos todo o tempo em que me esperou para que eu pudesse sanar as dúvidas do outro estudante.

Quando finalmente nos falamos, ela me surpreendeu com um pedido imediato:

— Brendon, eu quero dar minha palestra.

Fiquei chocado. Não entendendo suas intenções e, pior ainda, esquecendo-me de encorajá-la, repliquei:

— Por que você quer dar a palestra? Você compreende que já foi reprovada no curso, não é?

Ela disse:

— Sei que estraguei tudo. Mas frequentei as aulas todos os dias, pois você me inspirou, e sabia que, se eu continuasse vindo, talvez você me ajudasse a, efetivamente, fazer uma apresentação na frente de toda a turma. Acho que estou preparada. Quero tentar isso agora, Brendon. Você me orientou até aqui, por favor, não perca a fé agora. Eu quero fazer isso por você e pela turma. Tenho de fazer isso por mim.

Quando ela disse que eu a tinha inspirado e conduzido, me senti honrado por tê-la ajudado. Puxei uma cópia da programação de apresentações de minha pasta, coloquei-a sobre a mesa e escrevi o nome dela no último dia das palestras. Sarah fitou demoradamente seu nome na programação e, quando olhou para mim, tinha lágrimas nos olhos. Ela murmurou um obrigada abafado e saiu rapidamente da sala.

Passamos o dia seguinte discutindo sobre o que ela desejava realizar e o que eu gostaria que ela fizesse. Seriam apenas duas semanas de preparação, mas eu lhe disse que sabia que ela poderia conseguir, mesmo sem ter jamais visto uma apresentação pública dela antes. Dia sim, dia não, nós nos reuníamos. Mais da metade desse tempo foi gasto tranquilizando-a sobre ela poder obter sucesso e aplicando *coaching* para que enfrentasse os seus medos. Quando sua fé tinha uma queda, dava o melhor de mim para levantá-la com esperança e estímulo. Sempre que ela tinha sua esperança abalada, eu repetia a citação de Elisabeth Kübler-Ross:

"Quando você chega na borda de toda a luz que conhece e está prestes a cair na escuridão do desconhecido, a fé é saber que uma das duas coisas acontecerá: haverá algo sólido no qual se apoiar ou lhe ensinarão a voar".

Possibilitei a ela saber que, se tropeçasse nas palavras durante sua palestra, ela encontraria outra sentença para se apoiar ou, de alguma forma, naquele momento insuportável de incerteza, receberia as palavras certas a dizer. Ela encontraria sua própria voz simplesmente ativando-a. Após duas semanas aplicando-lhe um *coaching* pessoal, eu honestamente não sabia se ela apareceria no dia da palestra.

Mas ela apareceu. Quando Sarah se aproximou do púlpito, praticamente metade da turma virou-se para mim com olhares de questionamento, como se dissessem: "Ela realmente fará a apresentação?". A moça avançou com uma certa dificuldade durante dez minutos. No meio de sua fala, ela aparentemente perdeu as palavras por alguns segundos, pela expressão em seu rosto, um tempo dolorosamente longo para ela. Ela permaneceu lá em silêncio, com os olhos abertos e assustados como uma corça pega pelos faróis de um carro. Eu quis animá-la, mas não tive palavras. Estava tão apavorado quanto ela naquele momento.

Então, uma de suas colegas de classe encorajou-a ligeiramente: "Você conseguiu, Sarah, está perfeito". As palavras dela, aparentemente, não foram ouvidas pela palestrante, ela estava indiferente e imersa em seu pesadelo pavoroso. Mas, depois, outros alunos começaram a ecoar o estímulo. "Você pode fazer isso, Sarah"; "Garota, apenas continue falando, você conseguiu"; "Apenas fale, Sarah, nós a amamos." Com isso, ela, finalmente, fechou e abriu os olhos. Olhou em volta do salão como se tivesse saído de um coma, descrente de ver todos aqueles visitantes.

Houve mais uma série de estímulos que ecoaram pelo salão numa exibição linda de juventude e Sarah parecia estar repetindo suas palavras de encorajamento à medida que olhamos para seus olhos no púlpito. A audiência começou a enviar uma onda de entusiasmo e suporte para ela, e mais de um aluno rompeu em lágrimas. Eu também. E, em seguida, ela falou. Sarah levantou a cabeça, sorriu, nos agradeceu e continuou. Se me recordo bem, ela deveria falar durante 20 minutos. Sarah prosseguiu na palestra por cerca de 40 minutos. Suponho que jamais houvera falado tanto em toda a sua vida, e ela tinha um bocado a falar!

Se eu tivesse lhe dado uma nota formalmente, imagino que ela receberia um C-, pelo conteúdo, estrutura e apresentação. Mas, quando ela terminou, o coração e o heroísmo foram os vencedores daquele dia e a turma respondeu com aplausos ressonantes, embora ela apenas tivesse dado a palestra mais alvoroçada da história. Ela sorriu e caminhou timidamente até sua cadeira. No caminho, os outros alunos ainda a aplaudiam, gritavam e lhe lançavam elogios. Uma amiga, com a satisfação estampada no rosto, disse orgulhosamente: "Sarah, você conseguiu!". Ela então parou ao seu lado e lhe abraçou. Quando Sarah sentou-se, todos ficaram de pé. Minha turma, então, fez-lhe uma ovação que você não acreditaria. O sentimento naquela aula foi exuberante e, quando ela terminou, muitos colegas caminharam até ela e elogiaram seu desempenho inspirador.

Quando o último da turma saiu da sala e eu ainda estava colocando uns folhetos em minha maleta, vi Sarah, com o canto dos olhos, parada sozinha no corredor. Ao virar, percebi que lágrimas escorriam de seus olhos. O que ela disse para mim em seguida foram as palavras mais maravilhosas que já ouvi em minha vida e justificou a minha ação. Lutando para controlar as lágrimas e as emoções intensas que deve ter sentido, Sarah sussurrou para mim quando se virou e falou:

— Obrigada, Brendon. Ninguém jamais me disse que minha voz era importante. Você foi a única pessoa que um dia me afirmou que eu tinha algum potencial.

...

Henry David Thoreau escreveu: "A massa de homens tem vidas de um calmo desespero". Eu não imagino que o desespero seja mais tão calmo. Se você acompanha o noticiário, engaja-se em sua comunidade e presta atenção em seus entes queridos e vizinhos, aposto que ouvirá um brado retumbante por ajuda. As pessoas estão buscando, desesperadamente, compartilhar suas vozes únicas com o mundo e atingir seus potenciais plenos. Elas estão ávidas por ideias e estratégias que melhorem suas vidas pessoal e profissional. Estão carecendo de orientação e ficam surpreendidas sempre que alguém lhes oferece uma palavra amável ou ajuda. Você pode ser essa surpresa para seus companheiros humanos. Nisso é que se resume essa mensagem.

Praticamente uma década depois que Sarah completou o meu curso, retornei à faculdade em que me formara para visitar um amigo. Na cidade, trombei com alguns de meus ex-alunos, que, eventualmente, fizeram parte daquele dia mágico. Para minha completa descrença e surpresa, nem todos se recordavam do momento com a mesma alegria e detalhes que eu. Na realidade, dois deles sequer lembrariam-se do fato se eu não os fizesse recordar. Quando ela compartilhou sua voz, não tinha mudado a vida de todos, embora tivesse mudado a minha e, eu garanto, a dela também. Essa observação pode soar como uma experiência deprimente ou um modo péssimo de terminar a história, mas há muitas lições significativas que espero transmitir ao compartilhar isso com você.

Primeiro, volto àquele momento e quero comunicar isto: embora possa parecer assustador a você compartilhar sua voz com o mundo, o público é, com frequência, mais receptivo e acolhedor do que você imagina.

No caso de Sarah, compartilhar sua voz foi aterrorizante. Ela teve de ser convencida e receber *coaching* para poder se expressar e expressar suas ideias publicamente. Foi um esforço monumental para ela. Mas, para o restante do mundo, não foi um grande acontecimento. As pessoas não veem sua preparação, suas pesquisas, seu trabalho árduo ou sua transpiração para que tudo dê certo. Elas apenas admiram e celebram o fato de que você compartilhou sua voz. O suporte e a apreciação que lhe dão é praticamente automático, pois é da natureza humana admirar atos heroicos de expressão.

Você pode se identificar com isso. Dotado de todo o conhecimento que transmiti neste livro, a verdade é que sei que a barreira final que o impede de contar sua mensagem é o medo. Quando a questão se resume a isso, você pode simplesmente ficar com medo de que ninguém o ouvirá. Mas, eles o farão. As audiências sempre o fazem. Posso lhe afirmar com autoridade que o público-alvo mundo afora, quer ele esteja lendo-o, ouvindo-o ou assistindo-o em vídeos ou em palcos tem o mesmo desejo. As pessoas querem valor, e, quando você der isso a elas, elas vão apoiá-lo, segui-lo, comprar de você e honrá-lo. É possível obter conforto pelo fato de que praticamente em todas as partes do mundo a expressão pessoal é vista como um ato de arte, para não dizer de heroísmo. Quando esse ato de expressão pessoal visa a ajudar o próximo, então ele é visto como um ato de bondade e serviço. Confie em mim, as pessoas vão admirá-lo e apreciá-lo por compartilhar sua voz e sua sabedoria com os outros.

A história de Sarah também me faz lembrar que, independentemente de quão árduo seja seu trabalho, nem sempre comoveremos todo o nosso público. Nem todas as pessoas que se defrontarem com nossa mensagem experimentarão uma transformação duradoura. Nem todas a entenderão. Nem todas se lembrarão de nós depois de alguns anos. Isso, no entanto, é somente uma reiteração da sentença: "Quando o estudante estiver preparado, o professor aparecerá". Você influenciará significativamente aqueles que você escolheu. Confie nisso.

Embora alguns de meus alunos não se recordassem daquele dia mágico em que Sarah proferiu sua palestra, isso não tem importância. A propósito, o que é importante é que, no instante de sua expressão, ela conseguiu sair de uma experiência terrível, e que suas amigas, de fato, admiraram-na e incentivaram-na. Para Sarah, foi uma experiência profundamente significativa. Imagine o momento em que uma garota tímida finalmente libera sua voz e, em seguida, recebe uma ovação de pé. Isso me comoveu também e a toda a turma naquele dia.

Uma ex-aluna, que encontrei ocasionalmente durante uma visita à faculdade que eu cursara, lembrava-se do fato. Ela disse: "Aquele dia me ensinou que compartilharmos nossa voz é um ato de coragem. Podemos ajudar as pessoas se, simplesmente, conseguimos nos expressar em voz alta e compartilhar. Tenho tentado ser corajosa desde aquele episódio". Pessoalmente, ainda me lembro daquele dia de aula como se fosse ontem. Ainda tenho orgulho de Sarah. Ainda estou honrado de ter participado de sua história.

Espero que, ao escrever *O Mensageiro Milionário,* eu tenha me tornado parte de sua história. Tomara que você seja inspirado para compartilhar sua própria voz e que faça isso como meio de sobrevivência. Em sua jornada, espero que, a exemplo de Sarah, sua mensagem caia em ouvidos que o incentivem. E lhe peço que, à medida que você vir outras pessoas aí fora, nossos parceiros mensageiros, no ato heroico de compartilhar e ensinar, aplauda-os. Comemore com eles. Diga-lhes que suas mensagens e missões são importantes. Todos nós devemos celebrar aqueles que servem aos outros com seus conselhos e experiências de vida.

Acredito que é no ato de expressar quem você é e o que você sabe que você se encontra. Compartilhar sua voz é importante para crescer como ser humano, e é importante para contribuir plenamente junto à sociedade. Sua alma se acende com significado quando você ajuda o próximo a avançar mais uma etapa na direção de seus sonhos. A única questão, agora, é se você se importa suficientemente com seu desenvolvimento, contribuição e público-alvo de modo a superar seus medos. Está parado no palco do mundo todos os dias e em todos os momentos. Como você se apresentará? Você ecoará a sua voz? O que dirá? Como servirá?

Nosso mundo está num estado de grande desordem e transição. Está completamente desordenado, pois estamos passando por uma rápida e exigente mudança em praticamente todas as facetas de nossa vida. As pessoas de todas as regiões do mundo estão inseguras sobre como lidar com as transformações que estão experimentando tanto em suas vidas pessoais como profissionais. Elas não sabem o que fazer, e não sabem a quem recorrer por ajuda. Elas se sentem perdidas no meio de toda a insanidade, inseguras sobre como achar seus lugares ou potenciais. A incerteza delas gera precaução e pausa, o que as impede de progredir. A grande desordem é amplificada, pois parece que há poucos modelos de comportamento disponíveis para ajudar as pessoas a superar, entender e seguir em frente.

Estamos vivendo um tempo de transição imenso. Uma geração inteira está concluindo que deve haver muito mais coisas na vida do que trabalhar até morrer. Dezenas de milhões de indivíduos estão sendo demitidos ou se aposentando e procurando por novas oportunidades. Todas as pessoas visam criar mais, oferecer mais, envolver-se mais, crescer mais e se conectar mais. Estão explorando o mundo mais prontamente e estão livres das amarras da tradição; estão buscando novas ideias para atingir seus potenciais. Estão ávidas por orientação e inspiração. De fato, jamais houve um tempo em que pulul05aram tantas ideias e recomendações necessárias para o próximo passo de suas vidas, carreiras ou empresas.

É nesses momentos de desordem desenfreada e transição que os experts brilham. Temos a oportunidade de ficarmos em pé, compartilharmos nossas vozes e expertise e direcionar as pessoas para um futuro mais auspicioso para elas próprias e para nós. Esse é o nosso tempo para liderar e servir. Entre todo o medo e a incerteza no mundo, podemos ser a luz que orientará o caminho.

Este é o nosso tempo. Hoje é o dia que você escolhe para ser um fio de esperança e de ajuda aos outros. Brilhe ardentemente. Compartilhe sua mensagem. Faça a diferença.

Expert, expresse logo sua voz.

Brendon

• • •

Agradecimentos

Eu continuo a me sentir profundamente agradecido por ter recebido o bilhete premiado da vida, a segunda oportunidade que me foi concedida por Deus. Vivo cada dia para merecer essa benção e, em meus esforços para viver plenamente, amar incondicionalmente e fazer a diferença, sou extremamente grato por Seu amor e orientação.

Este livro é dedicado a meu pai, Mel Burchard. Nós o perdemos cedo demais, papai, mas fomos abençoados por tê-lo pelo tempo que pudemos. Eu o amo e sinto sua falta todos os dias. Carregarei seu lema para sempre: "Seja autêntico. Seja honesto. Faça o melhor. Cuide bem de sua família. Trate as pessoas com respeito. Siga seus sonhos".

A mamãe, David, Bryan e Hellen, amo todos vocês. Eu não estaria aqui hoje sem seu amor, fé, amizade e apoio. Tenho tanto orgulho de vocês por serem sempre quem são e por cuidarem de modo tão afetuoso de nossa família. Vocês continuam a me inspirar a ser um bom homem. Mãe, você sempre estará cuidando de tudo.

A minha querida Denise. Você sempre acreditou em mim e sempre enfrentou as adversidades junto comigo, sem hesitação. Você conseguia imaginar quão longe chegaríamos? Você ainda ilumina meu mundo e é a pessoa mais amável e impressionante que conheci. Estou admirado pelo amor que compartilhamos.

Ao grupo de camaradas com os quais permaneço em contato e que fazem parte de minha vida, apesar de minha agenda insana e do péssimo histórico que tenho de retornar ligações telefônicas ou e-mails quando estou viajando. Por sua amizade duradoura, eu amo vocês: Jason Sorenson, Gwenda Houston, Dave Ries, Adam Standiford, Ryan Grepper, Steve Roberts, Jesse Brunner, Matt e Mark Hiesterman, Jeff Buszmann, Jessy Villano Falk, Brian Simonson, Dave Smith, Nick Dedominic, Jenny Owens, Dana Fetrow, Phil Bernard, e Stephan e Mira Blendstrup.

À primeira expert verdadeira que conheci em minha vida, Linda Ballew, minha professora de jornalismo do ensino médio. Se não fosse pela senhora, eu jamais desenvolveria uma paixão pela escrita, pesquisa, elaboração de relatórios e pela disseminação de importantes mensagens pelo mundo. Tive sorte e sou muito honrado por ter sido seu aluno.

A meus amigos e ex-colegas de trabalho da Accenture, que me ensinaram sobre negócios, excelência e profissionalismo, sou muito grato. Agradecimentos especiais a Jenny Chan, Mary Bartlett, Teri Babcock e Janet Hoffman, que me ajudaram a seguir minha própria trajetória e a encontrar tempo para escrever meu primeiro romance, lá nos idos de 2004.

Agradecimentos a Scott Hoffman, o melhor agente em atividade. Sem você e Roger Freet, da HarperOne, o livro *A vida é um bilhete premiado* jamais seria lançado, e essa jornada alucinante não teria sido tão realizadora e bem-sucedida. Vocês me convenceram de que um livro sobre as mensagens da Experts Academy seria meu próximo passo, e estavam certos. Obrigado por acreditarem em mim.

Minha história de me tornar um especialista começou a partir do meu aprendizado com esses incríveis professores nos meses e anos seguintes ao meu acidente de carro, aos 19 anos de idade: Tony Robbins, Paulo Coelho, James Redfield, Brian Tracy, Stephen Covey, Mark Victor Hansen, Jack Canfield, John Gray, Wayne Dyer, Debbie Ford, Benjamin Hoff, Og Mandino, Marianne Williamson, John Gottman, Nathaniel Branden, Phillip McGraw, Mitch Albom, Les Brown, Deepak Chopra, David Bach, e outros mitos, tanto vivos como mortos.

Tenho a honra de, agora, contar com muitos de vocês como amigos e parceiros de trabalho. Suas vozes e sabedoria me inspiraram em um ponto crítico da vida e cultivaram a semente para este livro. Estou ciente de que estou abrigado nos ombros de gigantes e serei sempre grato por suas orientações e amizade.

Meu amigo Tony Robbins merece um crédito significativo por me inspirar a ter uma mudança tão dramática de qualidade de vida após meu acidente. Antes de qualquer pessoa ter chamado essa de uma indústria, ele já liderava o caminho. Tony, obrigado por tudo.

Nos últimos anos, muitos desses experts compartilharam lições de vida, ideias, suporte ou treinamento inestimáveis que me ajudaram a propagar ainda mais minha mensagem: Rick Frishman, Steve e Bill Harrison, Jeff Walker, Jim Kwik, Frank Kern, Bill Harris, Srikumar Rao, Eben Pagan, Jay Abraham, Jeff Johnson, Mike Koenigs, Seth Godin, Andy Jenkins, Joe Polish, Ryan Deiss, Tim Ferriss, Yanik Silver, Roger Love, Mike Filsaime, Paul Colligan, Brad Fallon, Garrett Gunderson, Richard Rossi, Trey Smith, Dean Graziosi, Jay Conrad Levinson, David Hancock, Darren Hardy, Daniel Amen, Ken Kleinberg, Bo Eason, Chris Atwood, Tellman Knudson, Randy Garn, Tony Hsieh, T. Harv Eker, Dean Jackson, Brian Kurtz, Rich Schefren, Brian Johnson, Armand Morin, John Carlton, Vishen Lakhiani, Don Crowther, Jason Van Orden, Jason Deitch, Dan Sullivan, John Assaraf e Paula Abdul. Obrigado a todos vocês.

É impossível agradecer a todas as pessoas que me ajudaram a compartilhar minha mensagem, de modo que peço desculpas a todos meus patrocinadores, afiliados, admiradores e amigos que não estão listados neste livro. Sou muito grato a vocês.

Nada do que eu faço atualmente seria possível sem uma equipe notável. Jenni Robbins, você é a personificação da excelência e a mais talentosa, detalhista, eficiente, colaboradora e marcante profissional e amiga que eu conheci. Vocês são o Burchard Group. Aos demais integrantes do time que me mantiveram no lugar e multiplicaram meus trabalhos com seu brilho, sou-lhes muito grato: Denise McIntyre, Kristy Guthrie, Travis Shields, Shawn Royster, John Josepho, Mel Abraham, Roberto Secades e Tom Dewar. Agradeço, também, a nossos incontáveis e incrivelmente dedicados voluntários, que iluminam nossos eventos e inspiram nossos clientes.

Finalmente, sou grato a meus presentes e futuros parceiros na comunidade de experts, estou honrado por pertencer a suas fileiras. Esse é um setor que congrega pessoas brilhantes e compassivas, que inspiram e instruem outros com seus conselhos e conhecimento. Para todos: vocês estão fazendo um importante trabalho. Nunca desistam.

Sobre o autor

Brendon Burchard é o fundador da Experts Academy e autor do best-seller *A vida é um bilhete premiado*. Ele é um dos principais orientadores motivacionais e de negócios do mundo.

Ele foi abençoado ao receber um bilhete premiado da vida, uma segunda chance, após sobreviver a um acidente de carro dramático. Desde então, Brendon tem dedicado sua vida a ajudar as pessoas a descobrirem sua voz, viverem mais plenamente e seguirem seus sonhos. Ele fundou a Experts Academy e escreveu *O Mensageiro Milionário* para ensinar aos experts de recomendações como gerarem mais impacto, influência e rendimentos enquanto propagam suas mensagens e consolidam seus negócios.

Um "especialista influente e multimilionário", em seus próprios termos, seus livros, newsletters, produtos e apresentações inspiram mais de dois milhões de pessoas ao ano. Burchard tem aparecido no ABC World News, NPR, Oprah and Friends e nos palcos com mitos como o Dalai Lama, Sir Richard Branson, Stephen Covey, Tony Robbins, Deepak Chopra, Marianne Williamson, John Gray, Keith Ferrazzi, T. Harv Eker, Tony Hsieh, David Back, Jack Canfield e outros líderes e mitos da indústria de experts. Seus clientes incluem as maiores empresas e organizações sem fins lucrativos do mundo, bem como milhares de executivos e empreendedores de todas as regiões do planeta, que participam de suas palestras e seminários. Os famosos seminários que ele realiza são os da Experts Academy, High Perfomance Academy e do Partnership Seminar. Acesse o site do autor e receba o material de treinamento gratuito: www.brendonburchard.com.